Descargo de responsabilidad

Este libro expresa ideas y opiniones de su autor. Las mismas están basadas en sus trayectorias y experiencias como profesional en la medicina y su trabajo con células madre. El propósito de este trabajo literario, es ofrecer material que informe y sea útil a los interesados, para conocer un poco más este tema. El autor y editor no pretenden prestar, mediante este libro, servicios de consulta médica o servicios profesionales. Antes de adaptar cualquier información a sus condiciones en particular, deben consultar con su médico. El autor y editor renuncian a toda responsabilidad con respecto a perdidas personales, riesgos, o consecuencias que resulten por implementar directa o indirectamente, información expuesta en este manuscrito.

CÉLULAS MADRE
¡LA MEDICINA DEL FUTURO... HOY!

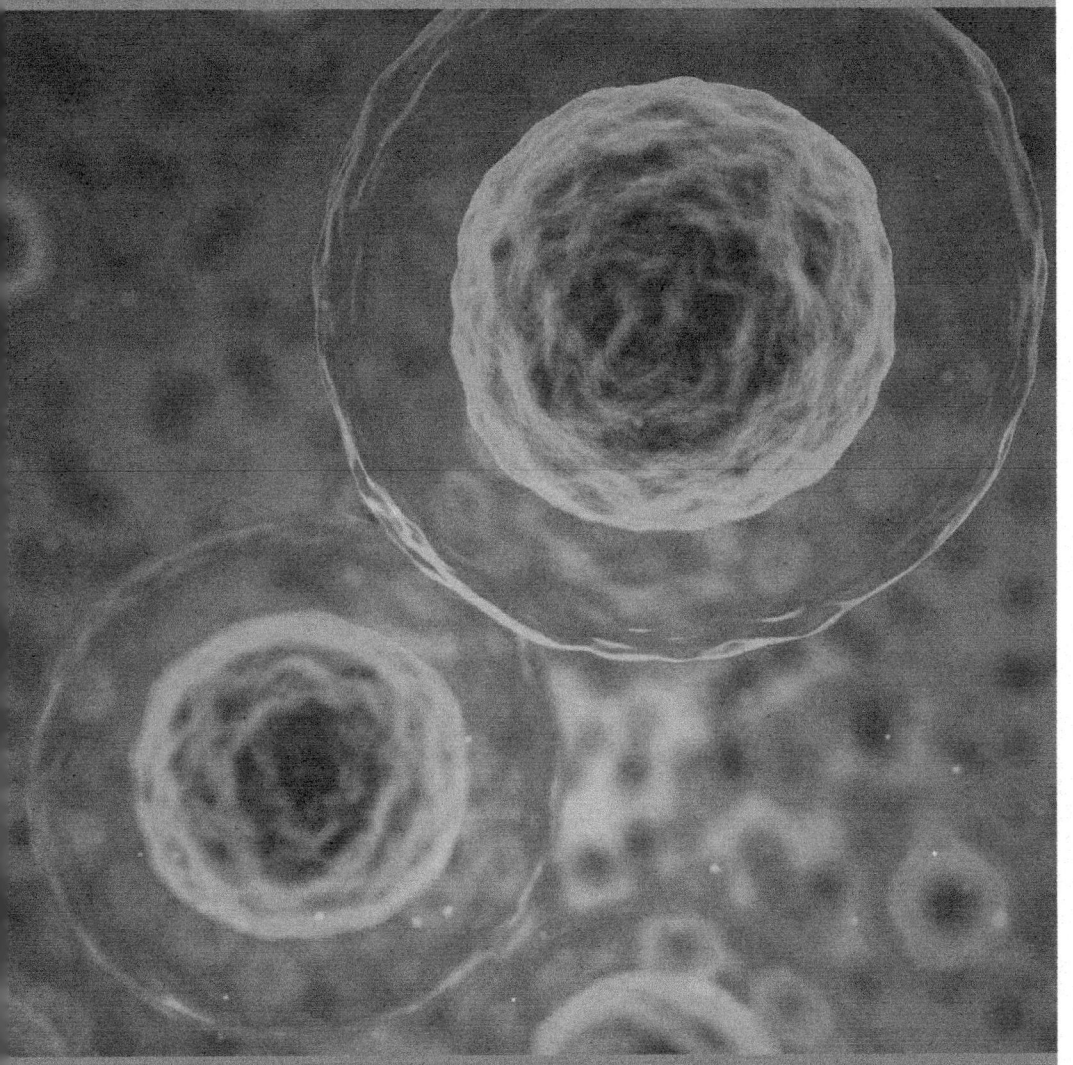

LO MEJOR DE LA MEDICINA REGENERATIVA A TU ALCANCE

ÁLVARO SKUPIN | MD, FACP, FCCP, FSDA

"CUALQUIER TECNOLOGÍA SUFICIENTEMENTE AVANZADA ES INDISTINGUIBLE DE LO MÁGICO"

- ARTHUR C. CLARKE

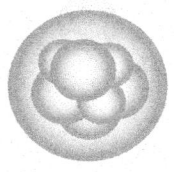

DEDICATORIA

Dedico este libro a mi adorada esposa,
Dra. Nancy Álvarez, gracias por tu
inspiración, colaboración y paciencia en
todos los aspectos de mi vida.

AGRADECIMIENTOS

Mi más profundo agradecimiento a la Dra. Raisa Bu y a Mari Santana, por su dedicación y esfuerzo en la realización de este libro.

ÍNDICE

Dedicatoria..7

Agradecimientos..9

Prólogo 12

Introducción 15

Capítulo 1

Un libro de células madre ¿Por qué?.........................23

Capítulo 2

Leyendas de juventud perenne y vida eterna 29

-   Isaac Newton..31
-   Juan Ponce de León....................................32
-   Prometeo..34
-   El retrato Dorian Gray..................................35

Capítulo 3

Historia de la existencia de las células madre..............37

-   Primera clonación (Oveja Dolly)..................47

Capítulo 4

Los tres grandes miedos del ser humano 51

-   Miedo a la muerte (Tanatofobia).................52
-   Miedo a enfermarse (Nosofobia) 56
-   Miedo a envejecer (Gerascofobia)...............59

Capítulo 5

Mitos y realidades de las células madre......................63

Capítulo 6

Las células madre y sus fuentes..................................81

-   Placenta y líquido amniótico 91

- Cordón umbilical 96
- Células madre dentales 103
- Sangre periférica 105
- Médula ósea 115
- Tejido adiposo 116

Capítulo 7
Aspectos generales 123

Capítulo 8
Preservación y cultivo 131

Capítulo 9
Testimonios y enfermedades tratadas con células madre 139
- Autismo 149
- Disfunción eréctil 157
- Diabetes mellitus 163
- La distrofia muscular de Duchenne 170
- Enfermedades neurodegenerativas 176
- Enfermedad de Alzheimer 177
- Enfermedad de Parkinson 183
- Esclerosis múltiple 188
- Fibrosis pulmonar 195
- Lupus eritematoso sistémico 200
- Osteoartritis 204
- Rejuvenecimiento facial 208

Capítulo 10
Células madre: hacia la formación de órganos 213

Capítulo 11
Mi trabajo diario: Transformando y Mejorando Vidas 223

Epílogo 231

PRÓLOGO

Fue un momento de gran felicidad y orgullo cuando recibí la solicitud de escribir el prólogo para este gran libro, escrito por quien representa en su esencia el significado de Maestro y Mentor, el Dr. Álvaro Skupin.

El tiempo ha llegado para conocer y comprender por qué las células madre adultas han generado tantas expectativas en disciplinas tan diversas, haciendo necesaria una excelente orientación para el trabajo en equipo. Mediante este compendio literario, la apuesta en momentos difíciles para nuestra humanidad, presentarnos el resultado de su nuevo desafío.

En un marco más científico, este libro reagrupa todo el conocimiento que se tiene de la utilización de células madre en terapia celular, desde sus orígenes en escritos de leyendas hasta nuestros días. El mayor y real mérito de lo que el Dr. Skupin comparte en este trabajo, es el estar redactado para la comprensión de quienes, no siendo especialistas, tendrán como potenciales beneficiarios de estas nuevas terapias, la información necesaria para una toma de decisión informada de sus resultados y avances.

Este libro reagrupa en sus 11 capítulos los claros y sombras de las células madre adultas, priorizando un lenguaje coloquial que despertará en todo lector la pasión del saber, comprenderá que no se requiere ser un gran especialista para aportar una opinión fundada en el buen conocimiento, más aún si de ello depende su calidad de vida y la de su familia.

El autor propone que el uso de células madre adultas y el desarrollo de terapias celulares renace de sus imperfecciones, como el ave Fénix de sus cenizas. El insiste en la necesidad de nuevos estudios, en una palabra, de progresos a realizar, si bien su libro no es exhaustivo porque numerosos temas merecen mayor precisión, sin embargo, posee un gran mérito, da una mirada integral a los progresos realizados en terapia celular.

Esta obra termina con una visión de futuro en la terapia celular que hace exigible una organización y una infraestructura importante que dé garantía de su correcta utilización.

SERGIO TAPIA MURÚA Ph.D.
CICRIT - CHILE

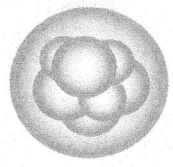

INTRODUCCIÓN

El tema de las células madre, es una de mis grandes pasiones. Entrar de lleno a estudiar y observar sus efectos y posibilidades, desató en mí como por arte de magia, un energizante entusiasmo en mi carrera como médico. Este maravilloso encuentro con células madre, sucedió a través de un amigo médico, muy popular entre sus pacientes por la mejoría que ofrecía. Esto sucedió en un momento en que yo ya estaba pensando en retirarme, para disfrutar del fruto de mi trabajo.

Todo cambió, cuando comencé a ser testigo de la mejoría y hasta cura de condiciones y enfermedades crónicas de docenas de mis pacientes. Un hecho que despertó en mí un gran deseo de seguir adelante y no solo continuar implementando el uso de células madre, sino, de educar y propagar sus beneficios entre la comunidad médica. Por esa razón, es que hoy te presento este libro, para ofrecerte la mayor información posible sobre lo que he aprendido y puesto en práctica sobre las células madre. Quiero mediante esta narrativa, aclarar conceptos sobre este tema de actualidad, que ha generado gran expectativa y está rodeado de malentendidos, mitos y descubrimientos incomprendidos cabalmente por los médicos y el público en general. Además, es un tema que genera controversia y conflictos, pues toca los aspectos éticos, legales y morales.

Lamentablemente, hay intereses creados que suelen ser comunes, a los grandes cambios que suceden durante el desarrollo y evolución de distintas disciplinas. En este caso, en el campo científico y lo relacionado íntimamente con el objetivo supremo de la medicina: la salud del paciente. Para aclarar cualquier duda, creo prudente ofrecer una versión corta de la definición de lo que es una célula madre, aunque más adelante, entraremos de lleno en la explicación detallada, profunda y científica sobre sus características en general.

Una célula madre, se define como una célula no especializada o no diferenciada, que puede multiplicarse indefinidamente. Tiene la capacidad única de convertirse en diferentes tipos de células especializadas en el cuerpo. Por tanto, puede ser utilizada para reemplazar otras células y tejidos que han sido dañados o perdidos debido a una enfermedad, lesión o trauma.

Nuestro cuerpo se compone de muchos tipos

diferentes de células. La mayoría de ellas están especializadas para realizar funciones particulares, como los glóbulos rojos, que llevan el oxígeno a través de la sangre a nuestro cuerpo, pero son incapaces de dividirse.

Las células madre proporcionan nuevas células para el cuerpo, a medida que crecen y reemplazan las células especializadas que están dañadas o han muerto. Estas células pueden dividirse una y otra vez, para producir nuevas células. También pueden transformarse en otros tipos de células que componen el cuerpo y tienen la capacidad de auto renovarse.

El tipo de células madre al que me refiero en este libro, corresponde **a las células madre adultas autólogas** (las que se obtienen del mismo paciente), que son las células que, desde el origen del ser humano, se encargan de reemplazar a millones de células que mueren cada día en nuestro organismo, cumpliendo así el proceso fisiológico de regeneración celular durante toda la vida. Estas células se encuentran acumuladas en grandes cantidades dentro de la médula ósea de los huesos, y son liberadas para que viajen por distintas vías dentro del cuerpo humano, hasta los distintos tejidos y órganos para que la vida continúe.

Debo enfatizar, que yo personalmente no uso las células embrionarias. Si bien estas pudiesen aportar algunas ventajas en el futuro, debido a su mayor potencialidad, hasta el momento esta característica juega un papel negativo, ya que se ha documentado extensivamente en diversas publicaciones científicas, que pueden producir tumores cancerosos. Por otro lado, considero significativa la violación del entorno ético, médico y legal que puede surgir al interrumpir la vida incipiente de un embrión y así extraer células que puedan servir a otros pacientes.

Son cada vez más los científicos en el mundo que reportan el uso de células madre adultas autólogas, en el tratamiento de múltiples enfermedades, muchas de ellas terminales y en donde esta alternativa, ha demostrado mejorar la salud del paciente más rápida y eficazmente que con la medicina tradicional. También su uso ha sido exitoso en enfermedades para las cuales la medicina no tiene nada más que ofrecer.

Debo informarte que el uso de células madre adultas, no reemplaza a los tratamientos médicos o quirúrgicos convencionales, sino que, en la mayoría de los casos mejora la condición general del paciente y, por tanto, logra que los tratamientos tradicionales sean más eficaces. Algunas veces esto implica que se pueda reducir las dosis de algunos medicamentos o incluso hasta eliminarlos. Otro gran beneficio de esta terapia, es que no tiene efectos secundarios, ni reacciones adversas, lo que inequívocamente está presente en todas las medicinas hoy disponibles, para el tratamiento de enfermedades.

En el presente, las células madre han demostrado lograr mejoría en setenta y cinco enfermedades y múltiples procedimientos estéticos. En el capítulo 9 explico en detalle y te muestro un listado de todas estas enfermedades.

En el transcurso de esta lectura, comparto contigo, mi querido lector, nuestra experiencia en los Institutos Mother Stem y 3 Med Health, en pacientes con múltiples enfermedades, en los que hemos practicado este procedimiento. Ofrezco mis experiencias en los primeros diez años con resultados indiscutibles, que han proporcionado mejoría en el estado general del paciente y en la enfermedad misma.

Hay una creencia generalizada, de que las terapias con células madre adultas autólogas, no curan las enfermedades, sino que, en ocasiones, ayudan en el proceso regenerativo fisiológico del cuerpo humano y mejoran notablemente las condiciones y la calidad de vida del paciente. Sin embargo, en mi experiencia, muchos pacientes han descontinuado el tratamiento de sus enfermedades y hasta el día de hoy, permanecen estables. Cura o no, el tiempo lo dirá, pero en realidad, la gran mayoría de los pacientes experimentan una mejoría significativa.

En las especialidades en que mejor se ha podido demostrar la utilidad de las células madre, han sido; en cardiología, enfermedades neurológicas, osteoarticulares, tendinosas, pulmonares, diabetes tipo 1 y 2, enfermedades de la piel como psoriasis, etc.

A pesar de todas las controversias existentes en torno a este campo, no cabe duda que la utilización de células madre, ha despertado enormes expectativas, ya sea como materia prima para terapia regenerativa de enfermedades hasta ahora incurables, o bien como vehículo de terapia génica[1].

Hasta hoy, solo hemos comenzado a imaginar las posibilidades terapéuticas, de las células madre adultas.

La aparente e inesperada potencialidad de las células madre adultas, nos lleva a predecir un futuro esperanzador para la práctica de la medicina.

Referencias

1. La Terapia génica es un tratamiento que consiste en manipular la información genética de células enfermas, para corregir un defecto genético o para dotar las células de una nueva función que le permita superar una alteración. *Ministerio de Educación Gobierno de España.*

MI PRINCIPAL OBJETIVO ES, EXPLICARTE SOBRE LOS USOS ACTUALES DE LAS CÉLULAS MADRE, PARA CONTROLAR O TRATAR ENFERMEDADES QUE COMÚNMENTE LOS MÉDICOS CONSIDERAN "INCURABLES".

- Álvaro Skupin
M. D.

CAPÍTULO 1

UN LIBRO DE CÉLULAS MADRE ¿POR QUÉ?

Después de 40 años practicando medicina, tengo 8 años llevando a cabo congresos sobre los avances y prácticas de células madre, a través de SOLCEMA (*La Sociedad Latino Americana de Células Madre*). Esta es la organización que fundé con el fin de educar y compartir conocimientos con otros médicos. Ahora cumplo una de mis metas de escribir un libro sobre este tema. Mi razón y pasión por escribirlo, es para revocar el concepto erróneo que prevalece hoy en día, basándome en lo que he aprendido y en mis experiencias como profesional en medicina.

A pesar de que frecuentemente recibimos noticias favorables sobre los avances de células madre puestas en práctica, en la medicina regenerativa y cosmética, los medios de comunicación solo hablan de la clonación, del futuro esperanzador, de que dentro de veinte o treinta años las células madre, podrían curar muchas de las enfermedades y crear órganos con células madre del mismo paciente, para ser implantadas sin rechazo alguno. Como si fuera poco, estas noticias siempre van acompañadas de imágenes que muestran a científicos en batas blancas, gorros y tapabocas con sofisticados equipos de laboratorios, congeladores, microscopios complejos y máquinas centrífugas.

Estoy de acuerdo en que los científicos, médicos y población en general, estén informados de los grandes avances en el campo de las células madre, que prometen aliviar muchas enfermedades en un futuro más o menos lejano. Pero cabe recalcar de lo que no hablan; un gran número de miles de médicos, que hoy en día estamos usándolas ya en nuestra práctica médica, con resultados alentadores en más de 75 enfermedades, sin equipos extremadamente costosos o sofisticadas máquinas de laboratorio.

El potencial de las células madre para combatir una gran cantidad de enfermedades crónicas degenerativas, tales como, Alzhéimer, Diabetes, Párkinson, Esclerosis Múltiple entre otras, es evidente con los estudios ya realizados. Tampoco se puede menospreciar, el rol de las células madre en la medicina anti-edad, pues ayudan a retrasar el envejecimiento y tener una vida más saludable en la madurez.

Las células madre se descubrieron en el año 1909, pero desafortunadamente, como fueron descritas en embriones, toda la comunidad científica comenzó a estudiarlas usando esta fuente, la cual ha sido blanco de muchas críticas y ha planteado problemas éticos. Recientemente, se ha encontrado que las células madre, están presentes en todos los órganos y tejidos del cuerpo y la tecnología ha permitido a los científicos aislarlas de varios órganos.

En la actualidad, la mayoría de los estudios se realizan con células madre, que provienen de la sangre periférica, la medula ósea o el tejido adiposo (grasa en el cuerpo), debido a la facilidad de obtención y su gran capacidad regenerativa. Una vez se obtienen las células madre de estas tres fuentes, se aplican al mismo paciente. Por tanto, no se necesitan estudios de compatibilidad.

No menciono las células madre del cordón umbilical, porque esta fuente frecuentemente se aplica a sujetos diferentes al donante y, por lo tanto, hay que realizar un sofisticado método de estudio, para asegurarse de que haya compatibilidad entre el donante y el receptor.

La eficacia de las células madre, no es un producto de la investigación, es algo que sucede constante-mente en nuestro organismo y sin ellas la vida sería imposible. Diariamente, millones de células madre, hacen posible que el cuerpo siga funcionando, sin nosotros tener que dirigirlas, motivarlas o activarlas. Sin ellas, el deterioro de nuestro organismo sería tal, que tendríamos una vida muy corta y seguramente sufriríamos de múltiples enfermedades.

Por tanto, el propósito de este libro es educarte, como mi acompañante y lector por el tiempo que pases conmigo en las próximas horas.

Mi principal objetivo es, explicarte sobre los usos actuales de las células madre, para controlar o tratar enfermedades que comúnmente los médicos consideran **"incurables"**. Aunque sabemos que más del 90% de las enfermedades que padece el ser humano son así: incurables, lo que significa, que la medicina por lo regular, provee una mejoría en términos de la condición y calidad de vida del paciente. Pero no necesariamente, una cura permanente.

El objetivo de este libro no es criticar, desprestigiar o contradecir los medios de comunicación, ni a los científicos que están trabajando arduamente, en los usos futuristas de las células madre en medicina. Pero sí quiero dejar claro que hoy somos muchos los médicos que usamos células madre en nuestra práctica diaria, por eso y por mucho más, siempre decimos:

¡Practicamos la medicina del futuro…hoy!

LA EFICACIA DE LAS
CÉLULAS MADRE, NO
ES UN PRODUCTO DE
LA INVESTIGACIÓN,
ES ALGO QUE SUCEDE
CONSTANTEMENTE
EN NUESTRO
ORGANISMO Y SIN
ELLAS LA VIDA SERÍA
IMPOSIBLE.

CAPÍTULO 2

LEYENDAS DE JUVENTUD PERENNE Y VIDA ETERNA

No podemos entrar de lleno en el tema de células madre, sin antes explorar el pasado que paulatinamente, nos trajo hasta el presente. Vale la pena mencionar el factor histórico, una narrativa cronológica de las leyendas, eventos, expediciones, mitos, lugares, destinos y comportamientos de figuras históricas, que nos dan un vistazo en cuanto a la búsqueda del elixir que nos proveerá "la fuente de la juventud".

Además de médico, me considero un lector empedernido de libros de historia. Tengo fascinación por aprender sobre los hechos que transcendieron el tiempo y las barreras del espacio. Sucesos que cementaron el final o inicio de nuevas aptitudes y descubrimientos, los cuales fomentaron las luchas y los logros obtenidos por aquellos que, fueron considerados locos o desquiciados por sus ideas. A mi criterio, estos personajes tenían una forma de pensar que transcendía, mucho más allá del progreso existente en la época en que vivían. Fíjate en cómo, cada uno de estos personajes históricos, pusieron su granito de arena en empujarnos, hacia finalmente encontrar la verdadera fuente de la juventud, el elixir de la vida. Aquí te comparto el listado de estos personajes, para que tengas una idea de quiénes fueron y qué los motivo a perseguir dicho elixir de juventud.

Isaak Newton.

Isaac Newton

Fue un matemático, físico, astrónomo y filósofo qué, además, dedicó mucho tiempo de su vida a estudiar la alquimia.

Tuvo una crisis psicológica, que consistía en episodios depresivos y psicóticos, por lo cual, se aisló del mundo y de sus amistades. En 1979 se publicó una investigación, donde se encontraron niveles tóxicos de mercurio en sus cabellos y que, por ende, pudieron explicar su comportamiento psicótico y la enfermedad que lo llevó a la muerte. Se cree que los altos niveles de mercurio en su sistema, fueron producto de su larga búsqueda del elixir de la vida, a través de sus prácticas alquímicas.

Así como Isaac Newton, hubo muchos otros alquimistas que buscaron el elixir de la vida, sin ningún tipo de éxito. Tampoco sabemos si alcanzaremos la inmortalidad, pero los recientes adelantos científicos, han demostrado que el crecimiento del cuerpo y el mantenimiento de la vida, radican en nuestro cuerpo y hoy se les llama células madre. Estas tienen características y capacidades asombrosas, que nadie ha podido reproducir.

Hasta hoy en día, estas células madre son la única fuente que científicos han considerado ser portadoras del prodigio de la vida.

Juan Ponce de León

Se cuenta que el explorador español, Juan Ponce de León, escuchó sobre la fuente de la juventud, de los nativos de Puerto Rico, cuando conquistó la Isla. Insatisfecho con su riqueza material, emprendió una expedición en 1513, para localizar la fuente de la juventud, descubriendo el actual estado de Florida. Aunque fue uno de los primeros europeos en llegar al continente americano, nunca halló tal fuente.

La historia es apócrifa: si bien Ponce de León pudo haber oído sobre la fuente de la juventud y creyó en ella, su nombre no fue relacionado con la leyenda, hasta después de su muerte. Tal relación aparece en las memorias de Hernando de Escalante Fontaneda, en 1575, y en la historia general del mundo de Antonio de Herrera y Tordesillas, basada en la obra de Fontaneda, quien pasó 17 años cautivo de los indios, tras naufragar en Florida de niño. En su memoria narraba, sobre cómo Ponce de León buscaba las aguas curativas de un río perdido que él llamaba «Jordán».

Herrera y Tordesillas afirmó que los caciques nativos, hacían visitas regulares a la fuente. Un frágil anciano se restauraba de tal manera, que podía reanudar "todos los ejercicios del hombre... tomar una nueva esposa y engendrar más hijos"[1]. Herrera y Tordesillas añade, que los españoles habían examinado sin éxito cada "río, arroyo, laguna o estanque de la costa de Florida, buscando la legendaria fuente".[2]

Aunque Juan Ponce de León, nunca encontró la fuente de la juventud, hoy en día hay muchos científicos trabajando con células madre, las cuales, por su poder regenerativo, se consideran capacitadas, no de lograr que el ser humano permanezca joven, pero sí de al menos, poder enlentecer su envejecimiento.

Prometeo

La primera mención sobre la regeneración del cuerpo humano, se encuentra en la mitología griega, a través de la narración de la historia de Prometeo. Este titán, es considerado como el protector de la humanidad, pero fue un dios sagaz, tramposo y manipulador.

Por sus ofensas a Zeus (padre de los dioses y hombres), éste les quitó el fuego divino a los seres humanos y entonces, Prometeo le robó el fuego a Zeus para devolvérselo a las criaturas humanas.

Zeus se sintió ridiculizado y envió a Prometeo encadenado a una montaña del Cáucaso, donde todos los días, un águila le devoraba el hígado y éste se regeneraba cada noche, lo que impedía su muerte y vivía en eterna agonía, hasta que fue liberado por Heracles (hijo de Zeus) al matar el águila.

Esta historia, habla de la capacidad regenerativa del cuerpo, siendo realmente el hígado, el órgano con mayor poder de hacerlo. Indudablemente, las células madre son las encargadas de la regeneración de los órganos, por eso, al uso de ellas los médicos y científicos le llaman *medicina regenerativa*.

En esta novela, Oscar Wilde aborda el mito de la eterna juventud, un sueño de todo ser humano.

Dorian Gray, un joven de extraordinaria hermosura, hace un pacto diabólico en el cual su retrato, pintado por el artista Basil, envejecerá, mientras que Dorian Gray, permanecería joven y hermoso.

Al cabo de los años, el retrato envejece y se convierte en una criatura horrible, mientras que Dorian Gray conserva su aspecto juvenil y hermoso.

La historia de Dorian Gray es una alegoría, al deseo ferviente del ser humano, de siempre permanecer joven y saludable, lo que significa nunca envejecer, ni enfermarse.

Aunque las células madre no pueden lograr lo contado en el libro de Oscar Wilde, sí pueden ayudarnos a conservar, y en muchos casos a recuperar la salud, además de retrasar el envejecimiento.

Referencias

1. Kupchik, Christian. La leyenda de El Dorado y otros mitos del descubrimiento de América. Octubre de 2008. Nowtilus.
2. Ídem.

Si bien Ponce de León, pudo haber oído sobre la fuente de la juventud y creyó en ella, su nombre no fue relacionado con la leyenda hasta después de su muerte.

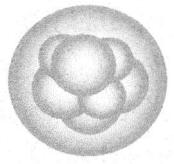

Capítulo 3

Historia de la existencia de las células madre

Es fascinante descubrir, que más de cien años atrás, el tema de las células madre, ya estaba dando sus primeros pasos en nuestra historia. Surge en la mente del científico Alexander A. Maximow, enfocado y concentrado en aplicar innovación y creatividad a la biología celular. He aquí, cronológicamente como fue avanzando:

1874 - 1928

La primera hipótesis de la existencia de las células madre, la planteó el destacado científico ruso, Alexander A. Maximow, uno de los fundadores de la teoría unitaria de la hematopoyesis (producción de las células de la sangre).

En gran medida, Maximow predeterminó la dirección del desarrollo de la ciencia mundial, en el campo de la biología celular. Sus obras se han convertido en clásicos del mundo científico y sigue siendo uno de los más citados en el trabajo de los investigadores.

1908

Maximow: explicó el mecanismo de autorenovación rápida de las células sanguíneas. Durante el Congreso de Hematología en Berlín, presentó una nueva teoría de la hematopoyesis. A partir de ese momento, se considera como el inicio de la historia y desarrollo de la investigación con células madre.

A diario, mueren miles de millones de células en la sangre y son reemplazadas por nuevas poblaciones de células rojas, blancas y plaquetas de la sangre. Alexander A. Maximow teorizó, que la renovación de las células de la sangre, se producía de una manera especial y diferente a las simples divisiones celulares.

1950

N. F. Gamaleya y A. J. Friedenstein, profesores del Instituto de Investigación de Moscú de Epidemiología y Microbiología, realizaron los primeros experimentos sobre el uso práctico de células madre. Demostraron que, mediante el trasplante de médula ósea, la principal fuente de células madre hasta entonces conocida, podrían salvarse animales, que habían recibido una dosis letal de radiación.

1956

Por primera vez se realizan en Estados Unidos, trasplantes de medula ósea en pacientes humanos. Los resultados fueron fatales debido al rechazo del cuerpo.

1960

Los científicos Ernest A. McCulloch y James E. Till, fueron los primeros en demostrar la naturaleza clonal, de las células de la médula ósea. Es decir, que tienen la capacidad de convertirse en células de otros órganos. En ese mismo año, los científicos soviéticos A. J. Friedenstein y Joseph Chertkov, sentaron las bases de la ciencia de las células madre, de la médula ósea, demostrando que una porción de las células madre, migra desde la medula ósea, la sangre y se convierten en células de diversos tejidos, especialmente en la piel y grasa.

1968

Estados Unidos: por primera vez se logran evitar reacciones de rechazo letales, en los trasplantes de médula ósea, de un donante a un receptor humano.

1970

Unión Soviética: se logra el primer trasplante autólogo (de la misma persona) de células madre. Le llamaron *"La vacuna de la juventud"*. Posteriormente, aplicaban células madre cada año durante dos o tres años.

1978

Estados Unidos: descubren células madre en la sangre del cordón umbilical humano.

1994

Taiwán: los pacientes con córneas dañadas, se tratan exitosamente con células madre corneales.

1996

Escocia: primera clonación de un mamífero; la oveja Dolly. Un gran avance en la investigación de células madre, del cual hablaré al final de este capítulo.

1997

Se crea Netcord, una organización internacional, en la que participan treinta y cinco bancos de sangre de cordón umbilical. Simultáneamente, se crean los primeros servicios privados especializados en Europa, como el primer laboratorio de Vita 34. Además, Rusia celebró la primera operación de trasplante de células madre, de cordón umbilical, en pacientes con cáncer.

1998

Estados Unidos: los científicos estadounidense James Thomson y John Becker, crearon la primera línea de células madre embrionarias humanas. Además, se realizó el primer trasplante en el mundo, de sangre del cordón umbilical, a una niña con neuroblastoma (tumor cerebral). En ese año, el total de trasplantes con sangre del cordón umbilical superaron los 600 casos.

1999

La revista *Ciencia,* reconoció el descubrimiento de las células madre de embriones, como el tercer evento más importante en la biología, después del desciframiento de la doble hélice del ADN y el descubrimiento del genoma humano.

2000

Se practicaron 1200 trasplantes de células madre de sangre de cordón umbilical. Un niño de seis años con anemia de Fanconi, fue curado con células madre de sangre de cordón umbilical, de su hermano recién nacido.

2002

Investigadores de la UCLA, publicaron un manuscrito en biología molecular, donde describen la población de células madre adultas, aisladas de tejido adiposo. Desde ese momento, estas pasaron a ser una de las poblaciones de células madre adultas más populares, que se utilizan actualmente en tratamientos con células madre.

En el 2002, también se forma la Sociedad Internacional para la Investigación con Células Madre.

Creación del Foro Internacional de Células Madre (ISCF), para fomentar la colaboración internacional, con el objetivo general de promover buenas prácticas mundiales y acelerar el progreso de esta ciencia biomédica.

2003

Estados Unidos: La revista de la Academia Nacional de Ciencias, publicó un artículo, donde se describe, cómo preservar y almacenar las células madre del cordón umbilical con nitrógeno durante quince años (criopreservación). Además, en esta publicación, se afirmó que las células madre del cordón umbilical, conservan plenamente sus propiedades biológicas. A partir de ese momento, el almacenamiento criogénico de las células madre, se consideró como un procedimiento seguro. En 2003, el almacenamiento de células madre en bancos llegó a 72.000 muestras.

Para entonces, ya en el resto del mundo se habían practicado, 2.592 trasplantes de células madre de sangre del cordón umbilical, de los cuales 1.012 fueron en pacientes adultos.

2004

Estados Unidos: se logra la primera derivación de células dopaminérgicas (células cerebrales que producen dopamina), a partir de células madre embrionarias humanas, una esperanza para el tratamiento de la enfermedad de Párkinson.

Inicia el Consorcio Internacional de Redes de Células Madre (ICSCN), con la intención de unificar los esfuerzos internacionales, para practicar terapias con células madre, una realidad para una amplia gama de enfermedades debilitantes.

2005

James Till y Ernest McCulloch, ganan el Premio Lasker, con experimentos que lograron identificar por primera vez las células madre y establecieron el escenario, para la investigación actual sobre las células madre adultas y embrionarias.

2007

Holanda: se logró la identificación física y la localización de las células madre intestinales en los mamíferos.

2008

Sam Weiss, recibe el Premio Internacional Canadá Gairdner, por el descubrimiento de las células madre neurales (células madre del sistema neurológico).

2010

Estados Unidos: se realiza el primer ensayo clínico de células madre embrionarias, derivadas de humanos para el tratamiento de lesiones de la médula espinal.

2011

Canadá: se logra el aislamiento de células madre multipotentes de la sangre en humanos, capaces de formar todas las células en el sistema de la sangre.

Se forma la sociedad Latinoamericana de Células Madre (Solcema), con el propósito de educar a médicos y al público en general sobre la utilidad y beneficios de las células madre.

2012

John B. Gurdon y Shinya Yamanaka, ganan el premio nobel de medicina, por el descubrimiento de cómo inducir células madre adultas, para que se transformen en células pluripotentes inducidas (IPS)[1], que se comportan como si fueran embrionarias, por tanto, son capaces de convertirse en todas las células del cuerpo humano y generar órganos.

2013

El Premio Nobel de Medicina le fue otorgado a los científicos **James E. Rothman, Randy W. Schekman y Thomas C. Südhof**, por haber resuelto el misterio de cómo las células organizan su sistema de transporte y comunicación intercelular.

Hoy en día, las células madre se utilizan con éxito, en el tratamiento de enfermedades hereditarias y adquiridas, tales como, enfermedades del corazón, del sistema endocrino, trastornos neurológicos, enfermedades hepáticas, gastrointestinales, pulmonares, genitourinarias, enfermedades de la piel, del aparato locomotor, etc.

No podemos dejar de mencionar los logros históricos en el mundo científico, en torno al uso de células madre para generar vida. Especialmente un acontecimiento, que generó controversia y publicidad a nivel mundial.

La oveja Dolly
(5 de julio de 1996 - 14 de febrero 2003)

Fue el primer mamífero clonado, a partir de una célula madre adulta.

Esta famosa oveja, fue la única que sobrevivió de los 277 intentos de clonación. Su nacimiento demostró que las células especializadas, podían usarse para crear una copia exacta del animal que provenían.

Este conocimiento, cambió lo que los científicos pensaron que era posible y abrió muchas posibilidades en biología y medicina.

Cuando Dolly tenía un año, el análisis de su ácido desoxirribonucleico (ADN), mostró que sus telómeros eran más cortos de lo que cabría esperar, para una oveja normal de la misma edad. Los telómeros son "tapas" en los extremos terminales del ADN que los protegen. A medida que un animal o una persona envejece, sus telómeros se vuelven progresivamente más cortos, exponiendo al ADN a mayor daño por los radicales libres.

Se cree que Dolly, tenía telómeros más cortos porque su ADN provenía de una oveja adulta. Esto podría haber significado que Dolly era "mayor" a su edad cronológica. Sin embargo, las extensas pruebas de salud en Dolly en ese momento, no encontraron ninguna condición, que pudiera estar directamente relacionada con el envejecimiento prematuro o acelerado.

En 2001, a Dolly le diagnosticaron artritis, después de que el personal de la granja notó que caminaba rígidamente. Esto fue tratado con éxito, con medicamentos antiinflamatorios, aunque nunca se descubrió la causa de la artritis.

Dolly continuó teniendo una calidad de vida normal, hasta febrero del 2003, cuando desarrolló tos. Una tomografía computarizada mostró que tumores crecían en sus pulmones y se tomó la decisión de practicarle eutanasia. Dolly fue puesta a dormir el 14 de febrero de 2003, a la edad de seis años.

Referencias

1. IPS, por sus siglas en inglés Induced Pluripotent Stem Cells.

VIVIMOS EN
UN MUNDO
OBSESIONADO
CON LA JUVENTUD,
IMAGEN Y BELLEZA.
ES NORMAL QUE
NADIE QUIERA
ENVEJECER.

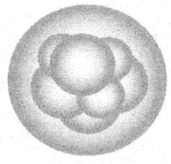

CAPÍTULO 4

LOS TRES GRANDES MIEDOS DEL SER HUMANO

Ya que le hemos dado un vistazo a la historia y el desarrollo paulatino de la ciencia, en cuanto a la aplicación y uso de células madre. Quiero enfatizar el motor de inspiración, en cuanto a estos avances en la ciencia médica. Bien se puede decir, que tiene que ver con los tres grandes miedos de la humanidad, que transcienden culturas, idiomas, geografía, estatus social, educacional y financiero.

Los principales miedos del ser humano son y siempre han sido:

Miedo a la muerte (Tanatofobia)

Es el mayor de ellos y del que nadie puede librarse. Según he leído en casi todas las versiones de la biblia, el ser humano fue creado para ser inmortal, pero al desobedecer a Dios se le condenó a morir Génesis 3: 1-19[1].

La búsqueda de la vida eterna ha sido tarea de científicos, filósofos, alquimistas y futuristas, pero todas estas teorías se refieren más bien, a la eterna juventud o a estar libres de enfermedades, pero ninguna trata de prevenir la muerte por traumas.

El ser humano ha creado seres inmortales (héroes), pero también hay historias épicas sobre la inmortalidad de la raza humana.

Se han publicado muchos libros sobre técnicas para prolongar la vida y los medios de comunicación las han cubierto con frecuencia, pero realmente se refieren a prácticas de antienvejecimiento. Otro método que se ha practicado por años, es el de congelar el cuerpo con una enfermedad incurable, y cuando se consiga la cura para esa enfermedad, entonces el cuerpo se puede revivir hasta años después, para ser tratado de su padecimiento. Esta técnica de preservar tejidos vivos, es una práctica común en la medicina con células madre.

Una de las leyendas más interesantes, acerca del hombre alcanzando la inmortalidad, es la de Xu Fu (El dios de la medicina. 255 a. C.), que era el guardián del elixir de la vida, hasta que un joven llamado Sentaro, se decidió a buscar el elixir y fue al Santuario de Xu Fu. Él oró para que lo llevara a la tierra de la vida eterna, hasta que al séptimo día, por la medianoche, Xu Fu se le apareció y decidió hacerle una prueba al joven, otorgándole un pájaro de papel, el cual se volvió gigante cuando Sentaro subió a él, se elevó y volaron por miles de millas hasta llegar a una isla remota.

El joven Sentaro se asombró mucho al oír de sus habitantes, que allí nadie moría, ni se enfermaba. Él maravillado, decidió quedarse a vivir allá, pero para su mayor sorpresa, los habitantes de la isla, le pidieron que les enseñara cómo encontrar la muerte, porque estaban cansados de sus vidas tan largas.

Sentaro no lo podía comprender y se sintió tan bendecido que comenzó un negocio y se quedó allí a vivir para siempre, pero después de 300 años, se sentía cansado de la monotonía de la vida, las frustraciones del trabajo y los problemas con sus vecinos, todo le parecía aburrido e inútil y le oró otra vez a Xu Fu para que lo regresará a la tierra de los mortales.

Sacó de su bolsillo, el pájaro de papel que se volvió gigante. Se montó en él y partieron, pero hubo una gran tormenta que lo derrumbó y cayó al mar.

Sentaro, con dificultad se podía mantener a flote, cuando vio un tiburón enorme, que venía hacia él con las mandíbulas abiertas, gritó con todas sus fuerzas a Xu Fu que viniera a rescatarlo e inmediatamente, se despertó en el santuario donde Xu Fu se le había aparecido por primera vez.

El ser humano ha buscado la inmortalidad desde tiempos inmemorables. La alquimia fue una ciencia esotérica muy popular en Egipto y Mesopotamia, desde antes de Cristo, hasta el siglo XVI, y su objetivo era la creación de la piedra filosofal, que podía trasmutar metales en oro y encontrar el elixir de la vida, una poción o bebida que garantizaría la vida eterna.

La química y la medicina han hecho desaparecer la alquimia, hoy en día ya no hay alquimistas que estén buscando la vida corporal eterna. Sin embargo, varios científicos, filósofos y futuristas, han publicado teorías acerca de la inmortalidad del cuerpo humano, que se logrará en el siglo XXI, pero ahora sabemos que la extensión de la vida y el estar libre de enfermedades, son metas más alcanzables, aunque ninguna puede prevenir la muerte.

Hasta ahora, si alguien quiere ser inmortal, tiene que convertirse en una *Turritopsis dohrnii*(medusa), que se encuentra en el mar mediterráneo y en las aguas de Japón, Panamá, España y Florida.

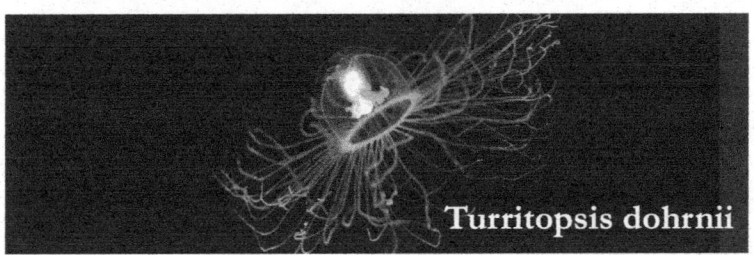
Turritopsis dohrnii

El secreto de su inmortalidad, se debe a que después de alcanzar su madurez sexual no muere, sino que retrae sus tentáculos, encoge su cuerpo, baja al fondo del océano y se convierte en un organismo sexualmente inmaduro y comienza nuevamente el ciclo de vida. Este proceso se repite indefinidamente.

La medusa puede lograr esto, debido a la característica de sus células madre, que son capaces de realizar la transdiferenciación (son células que después de diferenciarse pueden transformarse en otra célula e incluso producir clonación).

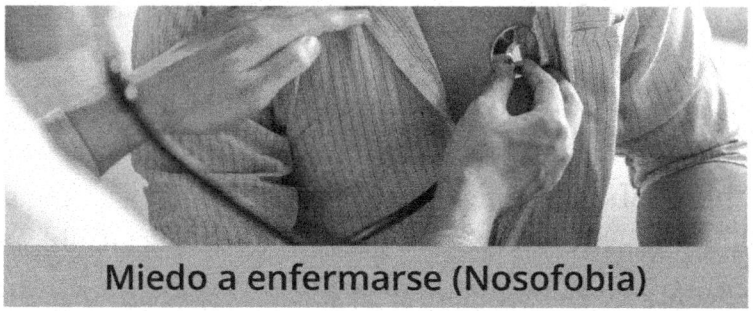

Miedo a enfermarse (Nosofobia)

Es un miedo persistente, irracional e injustificado a enfermarse. Se diferencia de la hipocondría, en que quienes la padecen, están convencidos de sufrir la enfermedad.

La Nosofobia, es un sentimiento natural del ser humano. ¿Quién no teme perder la salud, contagiarse de un virus o una bacteria, o ser víctima de una enfermedad grave, como diabetes o cáncer? El problema es cuando este miedo es constante e infundado sin ninguna razón aparente.

Por eso, el ser humano no ha buscado tanto el evitar enfermarse, como el lograr sanidad y siempre ha intentado sanarse de enfermedades en manantiales, fuentes o pozos usualmente sagrados. Las leyendas sobre esto han estado presentes en muchas culturas.

Abundan las leyendas de los celtas al respecto y sus tradiciones no desaparecieron, con la llegada del cristianismo, sino que se adaptaron a la nueva religión. Las leyendas celtas, cuentan que en la isla de Scattery, había un pozo milagroso, capaz de curar todas las enfermedades, pero su ubicación era desconocida, porque la marea lo había tapado. Un día un cojo iba caminando con unos amigos y cayó en un agujero. Cuando sus amigos lo sacaron, vieron que estaba sano por completo. En ese momento entendieron que, por casualidad, habían encontrado el pozo mágico.

La noticia se esparció con rapidez y todos los enfermos de la isla iban a sumergirse en el pozo y quedaban sanos. Sin embargo, un buen día, y para tristeza de todos, la marea había tapado el pozo y su poder milagroso quedó escondido. Aún hoy, muchos esperan poder hallarlo de nuevo. Como estas, hay muchas leyendas, como la del pozo de las islas Aran, un pozo que es capaz de curar la ceguera y la epilepsia.

En la Biblia también se narra, que en Jerusalén había un estanque llamado Betesda, que tenía cinco pórticos y "en estos yacía una multitud de enfermos, ciegos, cojos y paralíticos, que esperaban el movimiento del agua, porque un ángel del Señor, descendía de vez en cuando al estanque y agitaba el agua, el primero que descendía al estanque después del movimiento del agua, quedaba sano de cualquier enfermedad que tuviera". Juan 5: 1-4

La medicina alopática u occidental, así como la medicina homeopática, han contribuido grandemente al tratamiento de enfermedades, pero la mayoría de ellas, son hasta ahora incurables. Solo se ha logrado enlentecer la progresión de ellas o mejorar los síntomas.

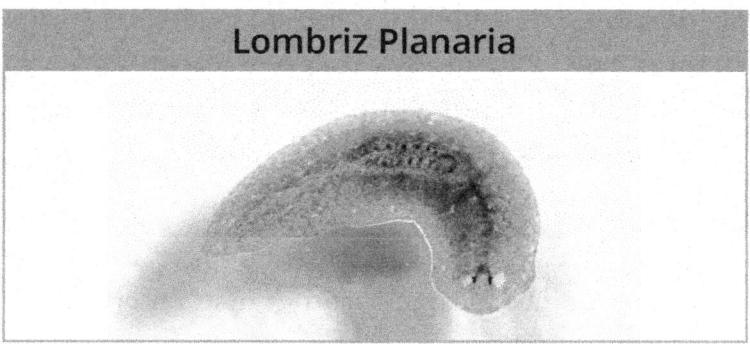

Lombriz Planaria

En estos momentos, si queremos regenerar todas las partes lesionadas del cuerpo y no padecer enfermedades catastróficas, tendríamos que convertirnos en lombrices planarias.

Estas tienen una capacidad extraordinaria para regenerar partes del cuerpo. Si se parte a lo largo o a lo ancho, se regenera en dos individuos separados. Aún si se parte en varios pedazos, cada pedazo se puede regenerar en un organismo completo, gracias a sus células madre (llamadas neoblastos). Estas células pueden reproducir al ser completo y por tanto cualquier órgano que necesite regeneración.

Si se le corta la cabeza por la mitad y se dejan ambas partes pegadas al cuerpo, formaría entonces dos cabezas.

El ser humano aún no está cerca de la sanidad completa, pero hoy más que nunca la ciencia tiene alguna posibilidad. Se puede lograr con el método desarrollado por el británico John B. Gurdon y el japonés Shinya Yamanaka (Premio Nobel de Medicina 2012), para convertir células madre adultas (multipotentes), en células pluripotentes inducidas (IPS). Estas células tienen la característica, de generar todos los tejidos y órganos que se comportan como si fueran células embrionarias.

Sin embargo, con la incorporación de los tratamientos con células madre, la medicina regenerativa ha desarrollado, una aparente e inesperada capacidad de tratar o curar ciertas enfermedades y posiblemente en el futuro lograr una vida libre de ellas.

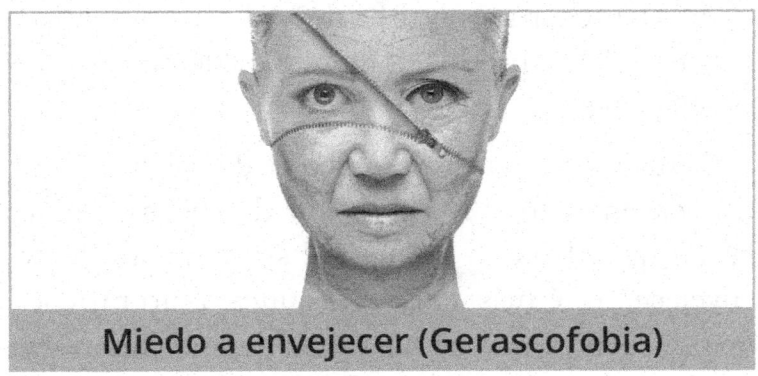

Miedo a envejecer (Gerascofobia)

Vivimos en un mundo obsesionado con la juventud, imagen y belleza. Es normal que nadie quiera envejecer, ya que los años vienen acompañados con pérdida de nuestras habilidades físicas y el debilitamiento de nuestra salud.

La vejez es una etapa complicada para todos, pero algunos padecen un grado tal de miedo a envejecer, que afecta la calidad de vida del que la padece y le produce ansiedad. Entonces se sufre de *gerascofobia*.

La investigación sobre envejecimiento, comenzó a finales del siglo XX. La medicina antienvejecimiento, se inició en los años noventa, especialmente potencializada por el uso de las hormonas bioidénticas. Estas hormonas son biológicamente idénticas a las humanas y, por tanto, no tienen efectos secundarios, ni producen las complicaciones de las hormonas químicas.

Somos tan jóvenes como son nuestras hormonas y, a medida que disminuyen, comenzamos a envejecer. Mantener un nivel hormonal, como si tuviéramos 35 años, producirá un retraso del proceso de envejecimiento.

Actualmente, la disponibilidad de medicina antienvejecimiento y la aplicación de células madre, hacen que el sueño eterno del ser humano de no envejecer, esté más cerca que nunca. Esto provoca que se revivan una de las metas de los alquimistas que buscaban el secreto de la eterna juventud.

En la actualidad, la única manera de mantenerse joven es transformándose en *Hydra vulgaris, un diminuto organismo que vive y se reproduce en aguas frescas (cuerpos de aguas no saladas).*

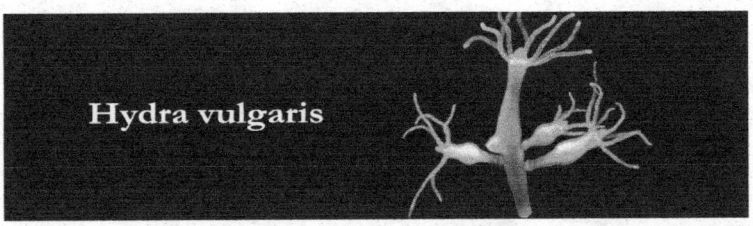

Hydra vulgaris

Este animalito se mantiene joven, debido a sus células madre, las cuales le permiten regenerarse constantemente y producir clones de sí misma. El Dr. Thomas C. G. Bosch, describió una proteína en las células madre, de la Hydra vuglaris, que aparentemente, es la clave por la cual se mantiene joven por siempre[2].

Algunos científicos, esperan que con estudios perseverantes y la medicina génica podríamos liberarnos del envejecimiento. Puede que sea un sueño, pero lo que una vez comenzó como una fantasía, hoy ha acabado siendo ciencia.

Además, esta terapia también llamada medicina regenerativa, tiene la posibilidad de regenerar los órganos afectados por enfermedades o el envejecimiento. Todo parece indicar que el ser humano, está cada día más cerca de prolongar la vida, permanecer jóvenes y saludables, logrando convertir, mitos en realidades, gracias primordialmente al desarrollo de terapias con células madre.

Referencias

1. Reina Valera, 1960
2. Molecular Phylogenetics and Evolution 91, May 2015, PubMed.

LAS CÉLULAS
MADRE TIENEN,
LA CAPACIDAD DE
MIGRAR A TRAVÉS
DEL TORRENTE
SANGUÍNEO A LOS
SITIOS DONDE SE
NECESITAN.

CAPÍTULO 5

MITOS Y REALIDADES DE LAS CÉLULAS MADRE

La investigación con células madre, sus aplicaciones médicas y las implicaciones éticas, religiosas y legales conllevan a una serie de interrogantes. En este capítulo te muestro cuáles son los mitos y las realidades sobre este fascinante tema.

Mito No. 1

Las células madre sólo provienen de embriones.

Realidad

Falso. Las células madre están presentes en todo el cuerpo, principalmente en:

1. Medula ósea
2. Tejido adiposo (grasa)
3. Sangre
4. Dientes
5. Hígado
6. Corazón
7. Cerebro

Mito No. 2

La Iglesia está en contra de la investigación con células madre.

Realidad

Falso. La Iglesia se opone únicamente a la investigación con células madre embrionarias. Son las que las se toman de embriones, pocos días después de la concepción, destruyendo así, una vida humana. La realidad es, que la Iglesia apoya firmemente la investigación con células madre adultas y esto es compatible con todos los parámetros éticos de la investigación médica.

Mito No. 3

La investigación con células madre embrionarias está prohibida por ley.

Realidad

Falso. Actualmente no existe una ley federal en Estados Unidos, que prohíba el uso de embriones humanos para fines de investigación. Cualquier institución que utilice fondos privados, es libre de investigar con células madre embrionarias.

El presidente de Estados Unidos George W. Bush, autorizó por primera vez la asignación de fondos federales, para la investigación sobre células madre embrionarias humanas. El presidente Barack Obama, aumentó los niveles de financiación para ampliar la investigación de ellas.

Mito No. 4

La aplicación de células madre adultas está prohibida por ley.

Realidad

Falso. Actualmente no existe una ley federal en Estados Unidos, que prohíba el tratamiento con células madre adultas. Es más, está permitido en Estados Unidos, Canadá, Europa, Asia, Australia y algunos países de Latinoamérica.

La Administración de Alimentos y Medicamentos de los Estados Unidos (FDA por sus siglas en inglés), regula el uso de drogas, alimentos y equipos médicos, pero no regula la práctica médica. Por tanto, no regula el uso de células madre adultas, si son autólogas del mismo individuo que las utiliza, se utilizan el mismo día, y si el proceso se realiza con mínima manipulación. Sin embargo, sí regula el uso de células embrionarias y de las células madre adultas cultivadas.

Mito No. 5

La investigación con células madre es ilegal.

Realidad

Falso. La investigación con células madre adultas y embrionarias es legal y se está realizando con gran auge en los Estados Unidos, Europa, China, Japón, entre otros.

Solo el estado de Ohio ha contribuido con más de $25 millones para el Centro Nacional de Células Madre y Medicina Regenerativa. Esto se realizó mediante una colaboración entre la Clínica Cleveland, Case Western Reserve University, Hospitales de la Universidad Case Medical Center y la Universidad Estatal de Ohio. Estos son los institutos más grandes en la investigación de células madre en Estados Unidos.

En el 2014, el Instituto para la Medicina Regenerativa de California, financió $40 millones de dólares y han desarrollado nuevos métodos para convertir células madre embrionarias, en células beta que producen insulina.

En Estados Unidos, los Institutos nacionales de salud (NIH por sus siglas en inglés), financiaron 1,495 mil millones de dólares para la investigación de células madre en el 2016.

Mito No. 6

La investigación con células madre embrionarias es la más prometedora.

Realidad

Falso. Hasta ahora, ningún ser humano ha sido curado de una enfermedad usando células madre embrionarias. Sin embargo, las células madre adultas, han tratado o curado a miles de pacientes, con casos de:

1. Varios tipos de cáncer
2. Artritis reumatoide
3. Autismo
4. Lupus
5. Osteoartritis
6. Infarto del corazón
7. Degeneración macular
8. Diabetes
9. Enfermedad de Parkinson
10. Alzheimer
11. SIDA
12. Enfermedades pulmonares, hepáticas, etc.

De hecho, unas 75 condiciones médicas han sido exitosamente tratadas con células madre adultas.

Mito No. 7

Para obtener células madre embrionarias es necesario destruir embriones.

Realidad

Hasta ahora para obtener células madre embrionaria, ha sido necesario destruir embriones. Varios equipos de científicos, han intentado desarrollar métodos para crear células madre tipo embrionarias, provenientes de células madre adultas. En 2012 los médicos **John B. Gurdon y Shinya Yamanaka,** obtuvieron el Premio Nobel de Medicina por lograr reprogramar las células madre adultas, para que se comportaran como células madre embrionarias.

Mito No. 8

Las células madre del cordón umbilical y el líquido amniótico, pueden utilizarse en lugar de las células madre embrionarias.

Realidad

Falso. El cordón umbilical y el líquido amniótico contienen células madre adultas, y tienen limitaciones en la capacidad de transformarse en los diferentes tejidos y órganos del cuerpo.

Mito No. 9

Todas las células madre son iguales.

Realidad

Falso. De hecho, hay cuatro tipos diferentes de células madre.

Las células madre pre embrionarias, son poderosas porque son (totipotentes) y por tanto pueden convertirse en cualquier tipo de células en el cuerpo. Pueden crear un órgano completo y hasta incluso pueden utilizarse para clonación.

Las células madre embrionarias (pluripotentes), pueden formar todos los tejidos y órganos del cuerpo, pero no pueden generar un organismo completo.

El otro tipo de células madre, son las fetales, que están presentes desde los tres meses de la concepción y son iguales a las adultas. Se encuentran en todos los órganos y su función es hacerlos crecer y mantenerlos sanos, pero no pueden convertirse en células de otros tejidos, es decir, son unipotentes. Como tal, solo pueden diferenciarse en células de los tejidos u órganos donde se alojan. También hay células madre adultas multipotentes, que también se les llama mesenquimales y provienen principalmente de tejido adiposo, medula ósea y sangre periférica, y tienen la capacidad de convertirse en los diferentes tejidos y órganos. También son llamadas hematopoyéticas, que se encuentran en la medula ósea y la sangre periférica, las cuales primordialmente se pueden diferenciar en células de la sangre.

Mito No. 10

Los tratamientos con células madre adultas producen cáncer.

Realidad

Falso. Los únicos reportes sobre tumores (Teratomas y Teratocarcinomas) relacionados con tratamientos de células madre, han sido con el uso de células madre embrionarias.

Con los tratamientos de células madre adultas, no se ha reportado ningún proceso tumoral. Al contrario, éstas han sido usadas exitosamente para tratar diversos tipos de cáncer.

Mito No. 11

Las células madre son atacadas por el sistema inmunitario.

Realidad

Sí y no. Las Células madre embrionarias generalmente provocan poca respuesta inmune (es la manera que tiene el organismo de reconocer y defenderse de aquellos agentes, que le resultan extraños o perjudiciales, dicha respuesta es regulada por el denominado sistema inmunitario). Con las células madre adultas, la respuesta inmunitaria es nula, si se utilizan de forma autólogas, porque son obtenidas de la misma persona. Sin embargo, el rechazo es severo, cuando se usan células madre adultas heterólogas, es decir de un donante a un receptor.

Mito No. 12

Las células madre pueden curar mágicamente todas las enfermedades.

Realidad

Falso. El tratamiento con células madre no es una solución milagrosa a todas las enfermedades. La investigación con ellas es muy prometedora, pero en estos momentos está en sus inicios.

Las terapias con células madre han tenido resultados exitosos especialmente en enfermedades crónicas degenerativas y otras enfermedades donde la medicina tradicional, no tiene nada que ofrecer. Actualmente en Estados Unidos, se ofrece como terapia para tratar más de 75 enfermedades.

Mito No. 13

Las células madre son inmortales.

Realidad

Supuestamente sí, por ejemplo, una persona nace con células madre en la médula ósea y va a tener células madre toda la vida. En los trasplantes de médula ósea, las células madre pueden sobrevivir al donante. En conclusión, las células madre pueden dividirse indefinidamente, pero al transformarse en células especializadas, el tiempo de vida va a ser igual a las células del órgano en que se diferenció.

Mito No. 14

Las células madre solamente pueden reparar el tejido del cual se originaron.

Realidad

Falso. Las células madre tomadas de un tejido, tienen la capacidad de diferenciarse en células de otro tejido. Esto se produce a través de dos mecanismos diferentes: la transdiferenciación y desdiferenciación.

Un cambio en el fenotipo, podría ocurrir de dos maneras: Una transformación directa (transdiferenciación) o por una regresión a etapas anteriores del desarrollo (desdiferenciación). Por ejemplo, las células madre de médula ósea y tejido adiposo, contienen una población de células multipotentes, que pueden diferenciarse en una variedad de linajes de células, incluyendo neuronas, astrocitos, oligodendrocitos, células hepáticas, cardíacas y pulmonares, etc.

Mito No. 15

Las células madre solo reparan tejidos en el sitio donde se aplican.

Realidad

Falso. Las células madre tienen la capacidad de migrar a través del torrente sanguíneo, a todo el cuerpo. Además, por la propiedad de "homing" las células madre son atraídas a los sitios donde hay inflamación, falta de oxígeno, heridas, dolor, etc., y reparan los tejidos y órganos lesionados.

Mito No. 16

Las células madre se pueden implantar en una persona diferente al donante.

Realidad

Sí, pero se necesitan estudios sofisticados de compatibilidad y en muchas ocasiones la aplicación de inmunosupresores, para bloquear la respuesta de rechazo en el receptor. En otra instancia, las células madre de la misma persona, se pueden implantar sin necesidad de ningún estudio inmunológico, ya que no existe ninguna posibilidad de rechazo.

Mito No. 17

Las células madre solo ayudan a los pacientes con Parkinson o con lesiones de la medula espinal.

Realidad

Falso. Las células madre han sido utilizadas para tratar, entre otras, las siguientes enfermedades:

- Accidente cerebrovascular
- Alzheimer
- Artritis reumatoide
- Asma
- Autismo
- Bronquitis crónica
- Cáncer
- Diabetes
- Disfunción eréctil
- Enfisema
- Esclerosis lateral amiotrófica
- Esclerosis múltiple
- Fibrosis pulmonar
- Lupus
- Parkinson
- SIDA

Las células pueden reparar órganos y tejidos lesionados, reduciendo así síntomas de diversas enfermedades y mejorando la calidad de vida del paciente.

Mito No. 18

Existen problemas bioéticos con el uso de células madre.

Realidad

La principal polémica gira alrededor de las células madre embrionarias, por razones obvias. El trasplante de células madre adultas, de una persona a otra, también tiene problemas bioéticos. El implante de células madre adultas (de sangre, tejido adiposo o médula ósea) de la misma persona, no tiene restricciones bioéticas, excepto la necesidad de firmar un consentimiento informado, antes de realizar el procedimiento y cumplir con los requisitos de buena práctica médica.

Referencias

1. Stoltz JF, de Isla N, Li YP, Bensoussan D, Zhang L, Huselstein C, Chen Y, Decot V, Magdalou J, Li N, Reppel L, He Y Stem Cells and Regenerative Medicine: Myth or Reality of the 21th Century. Stem Cells Int.; 2015: 734731.

2. Sarukhan A, Zanotti L, Viola A. Mesenchymal stem cells: myths and reality. Swiss Med Wkly. 2015; 3:145

3. Petrova N, Hristova E. Akush Ginekol (Sofiia). Ovarian stem cells- myth or reality? 2014; 53(7): BUL.

4. Caplan AI, Hariri R. Body Management: Mesenchymal Stem Cells Control the Internal Regenerator. Stem Cells Transl Med. 2015;4(7):695–701.

5. Keating A. Perspective. Stem Cell. Elsevier Inc; 2012; 10(6):709–16.

6. Evans M. J., Kaufman M. H. Establishment in culture of pluripotential cells from mouse embryos. Nature. 1981;292(5819):154–156.

7. Takahashi K., Yamanaka S. Induction of pluripotent stem cells from mouse embryonic and adult fibroblast cultures by defined factors. Cell. 2006; 126(4):663–676

8. Galende E., Karakikes I., Edelmann L., et al. Amniotic fluid cells are more efficiently reprogrammed to pluripotency than adult cells. Cellular Reprogramming. 2010;12(2):117–125.

9. Fukuchi Y., Nakajima H., Sugiyama D., Hirose I., Kitamura T., Tsuji K. Human placenta-derived cells have mesenchymal stem/progenitor cell potential. Stem Cells. 2004;22(5):649–658.

10. . Kia N. A., Bahrami A. R., Ebrahimi M, et al. Comparative analysis of chemokine receptor's expression in me-

senchymal stem cells derived from human bone marrow and adipose tissue. Journal of Molecular Neuroscience. 2011; 44(3):178–185.

11. Mojallal A., Lequeux C., Shipkov C., et al. Influence of age and body mass index on the yield and proliferation capacity of Adipose-derived stem cells. Aesthetic Plastic Surgery. 2011; 35(6):1097–1105.

12. Zhang L., Zhao Y.-H., Guan Z., Ye J.-S., de Isla N., Stoltz J.-F. Application potential of mesenchymal stem cells derived from Wharton's jelly in liver tissue engineering. Bio-Medical Materials and Engineering. 2015;25(1, supplement):137–143.

SE HAN LOGRADO GRANDES AVANCES EN LA INVESTIGACIÓN CON CÉLULAS MADRE DEL CORDÓN UMBILICAL, COMO LA CREACIÓN DE PIEL BIOARTIFICIAL O EL USO PARA ENFERMEDADES COMO LA DIABETES.

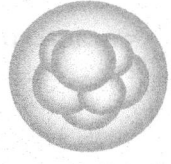

CAPÍTULO 6

LAS CÉLULAS MADRE
Y SUS FUENTES

Generalidades de las células madre

Las células madre se caracterizan por su capacidad para generar múltiples tipos de células diferenciadas, ya sea directamente o a través de una serie de divisiones terminales, al tiempo que conservan la capacidad de autorreplicarse. Esta capacidad de autorrenovación, diferencia a las células madre de las células progenitoras más diferenciadas.

La diferenciación de las células madre es el proceso mediante el cual, se forma una célula más especializada a partir de una célula madre, lo que conlleva a la pérdida del potencial de desarrollo de estas. La diferenciación se produce durante el desarrollo o crecimiento de un organismo, para producir nuevas células especializadas, y así, reponer las células que mueren.

Las células madre se pueden clasificar según su potencial de diferenciación:

Células madre totipotente

Es el tipo de célula madre más importante, porque tiene el potencial de convertirse en cualquier célula que se encuentre en el cuerpo humano. Cuando el óvulo de una mujer y el espermatozoide de un hombre se fusionan para formar una célula llamada zigoto y cualquier célula totipotente colocada en el útero de una mujer, tiene la capacidad de originar un embrión y por consiguiente un nuevo individuo, también pueden generar un órgano completo (riñón, corazón, pulmón, etc.).

Células madre pluripotentes

Capaces de producir los tejidos y órganos del cuerpo, aunque pueden producir cualquier tipo de célula del organismo, no pueden generar un embrión, pues ya perdieron la información necesaria para producir un nuevo ser, sin embargo, pueden generar un órgano completo.

Células madre multipotentes

Las células madre multipotentes, son células no especializadas, que tienen la capacidad de autorenovarse durante largos períodos de tiempo y diferenciarse en células especializadas con funciones específicas. Una célula madre multipotente puede dar lugar a otros tipos de células, pero tiene una capacidad limitada para diferenciarse. Estas células no pueden generar un órgano completo, solo pueden repararlo o hacerlo crecer.

Células madre unipotentes

Una célula madre unipotente se refiere a una célula que puede diferenciarse a lo largo de un solo linaje. Se encuentran en tejidos y órganos adultos, en comparación con otros tipos de células madre, estas tienen el menor potencial de diferenciación. Pueden formar solo células de los tejidos u órganos en que se alojan y existen en todos los órganos del cuerpo. Por ejemplo, en el corazón forman células cardíacas, en el hígado solo forman células hepáticas, etc.

Las células madre también se pueden clasificar según su origen:

1- Células madre pre embrionarias (Totipotentes)

Se encuentran desde el primer día de la fecundación hasta el quinto o séptimo día, aunque hay científicos que la consideran hasta el día 14. Se forman las células pre embrionarias (cigoto/mórula) y este tipo de **células madre** son capaces de generar un embrión completo.

2- Células madre embrionarias (Pluripotentes)

Se encuentran desde el quinto o séptimo día después de la fecundación, hasta los tres meses y forman el embrión. Estas no pueden generar un organismo completo, pero sí pueden crear tejidos de las tres capas embrionarias: ectodermo, mesodermo y endodermo. Estas células pueden diferenciarse en todos los tejidos y formar órganos completos.

3- Células madre fetales (Multipotentes)

A los tres meses, después de la fecundación, el embrión toma el nombre de feto y sus células madres son capaces de formar tejidos de órganos, pero ya no pueden formar órganos en su totalidad. Estas células madre son muy parecidas a las adultas, pero son más estables.

4- Células madre adultas

Son aquellas células madre no diferenciadas, que tienen la capacidad de crear copias de diferentes tejidos de órganos. Las células madre adultas más conocidas y empleadas en la medicina desde hace tiempo, son las células madre hematopoyéticas, que se encuentran, tanto en la médula ósea como en el cordón umbilical y las células madre mesenquimales de tejido graso. Estas células son las responsables del sistema de reparación interno, pero con los años estás disminuyen en cantidad y no pueden reparar el continuo deterioro del cuerpo, por tanto, comenzamos a envejecer.

5- Células madre pluripotentes inducidas (IPS) de origen artificial

Las células madre pluripotentes inducidas o "células IPS", son células madre que los científicos hacen en el laboratorio mediante la toma de células adultas normales (multipotentes). Ejemplos de estas células son las de la piel, células sanguíneas, médula ósea o de la grasa y las reprograman para convertirse en células madre pluripotentes (con características similares a las embrionarias). Las mismas, pueden convertirse en cualquier tipo de célula u órgano del cuerpo.

No se sabe si en el futuro, estas células podrán ser utilizadas en los pacientes. La razón es que el uso de virus para reprogramar las células adultas. Predispone a la capacidad de desarrollar o convertirse en cáncer. Aunque, de todos modos, la investigación sigue abierta porque estas células serían ideales para formar órganos y ser usados como autotrasplante (crear órganos como riñones, corazón, etc., con células del mismo paciente evitando así el rechazo al órgano trasplantado).

Principales diferencias entre células adultas y embrionarias

ADULTAS	EMBRIONARIAS
Multipotentes	Pluripotentes
Múltiples usos clínicos	Pocos usos clínicos
Numerosas	Poco numerosas
Fáciles de obtener	Difíciles de obtener
Crecimiento celular normal	Favorecen el crecimiento de células cancerígenas
Se obtienen de tejidos adultos o del cordón umbilical	Se obtienen destruyendo embriones
Pueden producir células de órganos	Pueden formar órganos completos
Ningún problema bioético	Problemas bioéticos
Autólogas (de la misma persona)	Heterólogas (de un donante)

Características de las células madre

Proliferación: Capacidad de dar origen a millones de células, se pueden replicar casi de forma indefinida.

Diferenciación: Capacidad de transformarse en células especializadas de todos los tejidos.

Plasticidad: Capacidad de transformarse en células de tejido totalmente diferentes al que las alojaba.

Homing (Buscador de blancos): Capacidad de ser atraídas a tejidos con necesidad de regeneración.

Comunicación: Capacidad de transmitir mensajes a otras células.

Autorenovación: Capacidad de autorenovarse.

Funciones de las células madre

- Se dispersan en el tejido adyacente y se convierten en todos los tejidos presentes (músculo liso, fibroblastos, músculo estriado, mesotelio, vasos sanguíneos, grasa, folículo piloso y tejidos de órganos).

- Se diferencian en diferentes componentes celulares y se integran al tejido indicado.

- Secretan péptidos, un tipo de molécula formada por la unión de varios aminoácidos mediante enlaces peptídicos.

Estos actúan en todas las células del cuerpo y son una parte integral de la mayoría de los procesos biológicos y son responsables de la comunicación entre diferentes células.

Factores que atraen células madre a las regiones deterioradas

- **Hipoxia** (Falta de oxígeno) atrae a las células madre a esa área, para reparar el daño producido en las células y permitir que estas células puedan ejercer funciones biológicas importantes.

- **SDF-1** (Factor derivado de las células estromales) es de la familia de las citoquinas, que son proteínas que producen señales para atraer células madre y glóbulos blancos al sitio donde se necesitan, aumentando la inmunidad del huésped. Son producidos por las células madre, promueven el crecimiento celular y reclutan células madre circulantes para regenerar los tejidos dañados.

- **Plaquetas:** no son células, sino pequeños fragmentos celulares, producidas en la medula ósea, que circulan en nuestro torrente sanguíneo. Su función principal es ayudar a detener el sangrado, formando un coágulo cuando hay una lesión en nuestro cuerpo y al activarse, secretan factores de crecimiento.

- **Estímulos quimiotácticos:** Son sustancias liberadas como resultado del daño o muerte celular y atraen a las células madre y glóbulos blancos para reparar o reemplazar células dañadas por células sanas.

- **Citoquinas:** Son proteínas que regulan la función de las células madre y glóbulos blancos, para la comunicación con otras células, y así, regular la proliferación, diferenciación celular, así como el crecimiento celular y secreción de inmunoglobulinas lo que aumenta la inmunidad.

- **Factores de crecimiento de las plaquetas**: Las plaquetas después de formar un coágulo, secretan entre otros factores de crecimiento epitelial de endotelio-vascular y de los fibroblastos, además de hormona del crecimiento. Estos atraen las células madre al sitio de la injuria y producen angiogénesis para crear nuevos vasos sanguíneos. También aumentan la síntesis de ADN lo cual potencializa la mitosis (división celular) y la diferenciación celular, esto se traduce en regeneración de los tejidos u órganos dañados.

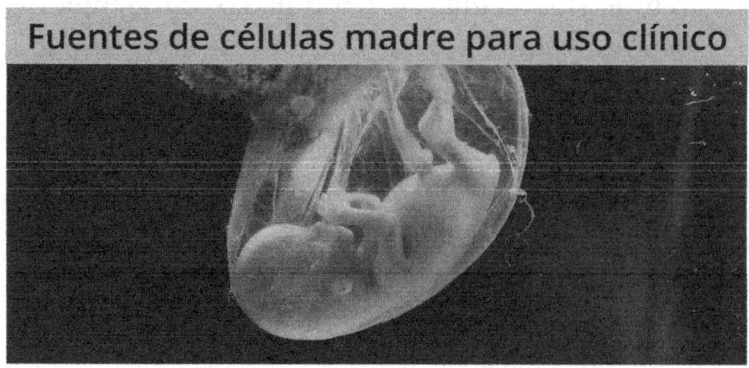

Fuentes de células madre para uso clínico

Placenta y líquido amniótico

Descripción

La placenta es un órgano circular aplanado en el útero de los mamíferos embarazados, que nutre y mantiene al feto a través del cordón umbilical. Este cordón es el eslabón principal del feto a la placenta.

Funciones

La placenta desempeña un papel vital durante los tres trimestres del embarazo y asegura que el bebé se desarrolle de manera segura. Realiza una serie de funciones tales como:

1. **Proporciona una nutrición adecuada al bebé.** La sangre de la madre viaja a través de la placenta para alcanzar el cordón umbilical que le conecta con el bebé.

2. **Actúa como el riñón,** filtrando la sangre para eliminar las sustancias nocivas que pueden ser peligrosas para la salud del bebé.

3. **Sirve como pulmón del bebé** y permite la transmisión de oxígeno de la madre al bebe.

4. **Trae de vuelta los desechos biológicos** del bebé al sistema de circulación de la madre, los cuales son descartados de su cuerpo a través de la orina.

5. **Protege al bebé de posibles infecciones** al separar la sangre de la madre de la del bebé,

actuando, así como un filtro.

6. **Muchas hormonas se producen en la placenta** y una de la más importante es la lactosa placentaria, que asegura que el bebé tenga suficiente nivel de glucosa en la sangre, evitando así los efectos nocivos de hipoglicemia.

7. **Metaboliza las partículas de los alimentos** consumidos por la madre para permitir que la nutrición llegue al bebé digeridos.

8. **Atrapa el oxígeno inhalado por la madre** para esparcirlo en la sangre, y así, hacer que alcance el sistema de circulación del bebé, pasándolo a través del cordón umbilical. Esta es una de las funciones más importantes que desempeña la placenta, ya que evita las posibilidades de que el bebé tenga que respirar y pueda inhalar el líquido amniótico, lo cual, puede ser muy perjudicial para él bebe.

9. **Segrega hormonas femeninas,** tales como, progesterona y estrógeno para detener las contracciones prematuras del útero, antes de que el bebé haya alcanzado el término completo. También prepara los tejidos maternos y el útero para el parto.

10. **Durante las etapas del embarazo**, la placenta se mueve mientras el útero crece y se expande. La placenta permanece baja en las primeras etapas del embarazo, pero se mueve a la parte

superior del útero en etapas posteriores del embarazo para mantener el cuello del útero libre de obstrucciones para el parto.

Líquido amniótico

Una de las funciones principales del líquido amniótico es prevenir trauma mecánico al feto. Mantiene el feto protegido y actúa como un amortiguador. El líquido amniótico proporciona el ambiente ideal para que el feto se mueva, contribuyendo así, al crecimiento y fortalecimiento de los huesos y los músculos.

Células madre de la placenta y líquido amniótico

El líquido amniótico y la placenta son fuentes únicas de diferentes poblaciones de células madre mesenquimales, hematopoyéticas, trofoblásticas y posiblemente de células madre más primitivas.

Aunque gran parte de la cavidad amniótica (líquido y la placenta), comparten un origen embrionario común, los orígenes específicos de las células madre encontradas en estos dos compartimentos, aún no se han determinado. Por consiguiente, todavía no se sabe si todos o parte de estos dos subconjuntos de células madre son realmente iguales.

El potencial multilineage de las diferentes poblaciones de células madre de estas dos fuentes, ha comenzado a ser descrito y utilizados clínicamente, pero aún queda mucho por aprender.

Por lo tanto, no es sorprendente que las aplicaciones clínicas relacionadas con el uso de estas células madre, todavía no se hayan establecido claramente. Sin embargo, el trabajo experimental de muchos grupos de científicos en países como Estados Unidos, Alemania, Japón y Chile, han investigado una serie de nuevos conceptos terapéuticos prometedores, que utilizan estas células como la ingeniería de tejidos, el trasplante de células madre y la terapia génica.

El interés de tener el líquido amniótico como fuente de este tipo celular, es que en solo 36 horas desde su obtención ya se han duplicado. Es decir, tienen un crecimiento y multiplicación muy rápido y según dicen los expertos no tienen riesgo de formar tumores, como es el caso de las embrionarias que si lo hacen.

En el momento actual, se sabe que las células madre del líquido amniótico, son capaces de diferenciarse en células que forman el tejido óseo, adiposo, muscular, endotelio vascular y sistema nervioso entre otros.

Se han realizado estudios de laboratorio en los que se ha evidenciado, que las células madre mesenquimales de la placenta, se transforman en hepatocitos (células del hígado) con la posibilidad de regenerar este órgano de forma eficiente si está lesionado.

Esto va a permitir en un futuro, posibles aplicaciones tanto para el trasplante hepático una vez realizado, así como para el paciente que permanece en lista de espera hasta que se localice el órgano de un donante compatible.

Estas células también son útiles para tratar cáncer de mama. El grupo de Medicina Regenerativa del Instituto de Investigación del Hospital 12 de Octubre, de la Comunidad de Madrid, ha publicado un estudio en la revista científica *Cancer Gene Therapy,* que el uso de células madre mesenquimales de la placenta, son útiles para tratar el cáncer de mama, pues detienen el crecimiento del tumor y retrasa la aparición de nuevos tumores secundarios (metástasis).

Los resultados de la investigación ponen de manifiesto que, en ensayos de laboratorio, las células madre de la placenta migran habitualmente hacia el tejido de mama humano sano. Esta migración es aún mayor, si el tejido está afectado por cáncer de mama, lo que destaca su capacidad para ser utilizadas como transportadoras de medicamentos anticancerígenos.

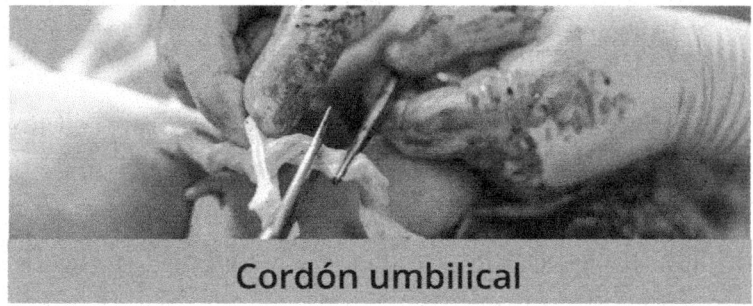

Cordón umbilical

En términos simples, el cordón umbilical es la línea de vida del feto en crecimiento. Es una estructura tubular flexible, que conecta el feto a la placenta. La placenta es un órgano unido a la pared uterina que, a su vez, se conecta al suministro de sangre de la madre.

El cordón umbilical transporta oxígeno y sangre rica en nutrientes desde la placenta hasta el feto, a través del abdomen donde se forma el ombligo. También lleva sangre desoxigenada y productos de desecho del feto a la placenta. Cuando el bebé nace, el cordón umbilical se corta cerca del cuerpo del bebé y el muñón se cae por sí solo.

Función del cordón umbilical

El cordón umbilical se forma alrededor de la quinta semana de embarazo y puede crecer hasta 20 pulgadas a lo largo del embarazo. Se trata de una estructura resistente y fuerte con dos capas principales: una capa externa de músculo liso y una capa interna que contiene una gelatina llamada gelatina de Wharton.

El cordón umbilical entra en el feto a través del abdomen y se convierte en dos ramas: una se une con la vena porta hepática en el hígado y la otra se conecta al corazón a través de la vena cava inferior. Estas dos ramas forman un circuito en el cuerpo del feto y se reconectan al cordón umbilical.

Historia de la utilización de células madre del cordón umbilical

Hoy en día las células madre de cordón umbilical, son una fuente de vida para muchas personas que consiguen mejorar, salvar su vida o la de sus hijos gracias al poder regenerativo que tienen estas células. El cordón umbilical tiene la ventaja de poder guardarse en bancos de células madre. Las mismas se congelan con una tecnología basada en nitrógeno líquido, y se pueden recuperar hasta veinte o más años después. Estas células pueden usarse como tratamientos de enfermedades graves, propias o de otras personas que sean compatibles.

Las investigaciones sobre células madre umbilicales han pasado por varias etapas. Repasemos esta historia para ver hacia dónde puede dirigirse el desarrollo tecnológico durante los próximos años.

Antes de 1985 los cordones umbilicales se desechaban como si no tuvieran valor

Hasta a finales del siglo XX el cordón umbilical era para los médicos un elemento fundamental para la vida del embrión, que se descartaba tras el parto por no tener ningún interés clínico. Pero, el descubrimiento de la presencia de células madre hematopoyéticas, dentro del cordón fue un descubrimiento de gran importancia. Este hecho hizo ver a los especialistas, que el cordón umbilical podría ser la base para nuevos tratamientos.

1ª Etapa 1985-1992
Primeros trasplantes de sangre de cordón umbilical

En 1985, se iniciaron los primeros estudios para verificar la cantidad de células madre hematopoyéticas en la sangre de cordón umbilical e investigar si era una alternativa a la médula ósea.

2ª Etapa 1993-1998
Nacen los bancos de sangre de cordón umbilical

Se consolida el trasplante de sangre de cordón umbilical como una alternativa eficaz, económica y futurística para muchas de las intervenciones, que se realizaban con trasplantes de médula ósea. Se empiezan a realizar técnicas de crioconservación, para guardar las células madre de la sangre del cordón umbilical. El primer banco de sangre de cordón umbilical, fue el de Nueva York y era público. Luego se abrieron en Europa los bancos públicos de Milán (Italia), Dusseldorf (Alemania) y Barcelona (España) en 1994 y 1995.

Entre 1996 y el 2000, se abrieron más bancos públicos y privados. En 1997 se creó NetCord (International NetCord Foundation), fue establecida en 1997, por la asociación mundial de Bancos de Sangre del Cordón Umbilical. Sus miembros buscaban obtener productos de mayor calidad derivados de la sangre del cordón umbilical. Buscaban equilibrar su oferta y demanda global, y contribuir a la promoción del trasplante de células madre hematopoyéticas de la sangre del cordón umbilical. Su principal preocupación es promover la investigación de laboratorio/clínica y la capacitación sistemática del personal.

3ª Etapa 1998-2002
Estandarización del tratamiento con sangre de cordón umbilical

En octubre de 1998, se realizó el primer trasplante de sangre de cordón umbilical en París, curando a un niño que tenía anemia de Fanconi.

En 1999, se creó la Fundación para la Acreditación de la Terapia Celular (FACT).

En el 2000, se estandarizó con la normativa sugerida para la obtención de sangre de cordón umbilical, las pruebas, la selección y la conservación.

**4ª Etapa 2003-2007
Difusión del tratamiento con sangre de
cordón umbilical**

La posibilidad de guardar la sangre en bancos privados existe en países como EEUU, Reino Unido, Dinamarca, Polonia, Canadá y Alemania. Es un servicio costoso, pero que se hace público gracias a que algunas familias famosas, como la casa Real de España que al usarlos ayudan a difundirlo en los medios de comunicación.

Estudio de nuevas terapias regenerativas. Algunos ensayos clínicos con células madre del cordón umbilical permiten usar las de tipo hematopoyético, para crear otras líneas celulares, líneas que no tienen que ver con la sangre, aunque también se valora la utilización de las células madre de la gelatina de Wharton, que es parte del cordón umbilical y son de tipo mesenquimales.

2013. Nuevas aplicaciones médicas de la sangre del cordón umbilical. Grandes avances se han logrado en la investigación con células madre del cordón umbilical, como la creación de piel bioartificial o el uso para enfermedades como la diabetes.

2015. El investigador Young Zhao, de la University Medical Center de Hackensack (Estados Unidos), presentó el primer estudio clínico para curar la diabetes con células madre del cordón umbilical.

2016. El Dr. John Wagner comunica que al trasplantar células madre de la sangre del cordón umbilical a un enfermo de leucemia, se reduce a dos semanas el tiempo de recuperación de esta enfermedad. Por lo general, la recuperación suele durar unos 42 días.

Nuevas investigaciones destacaron que las células madre del cordón y tejido umbilical, podían ayudar a mejorar la condición de las personas con autismo. En Estados Unidos se han obtenido resultados alentadores con el tratamiento de estas células, en embolismo cerebral al mejorar la irrigación de áreas dañadas en el cerebro y no por sus propiedades anti-inflamatorias de reducir la inflamación del cerebro.

Células madre obtenidas de la sangre del cordón umbilical

La sangre del cordón umbilical recogida al nacer, es una rica fuente de células madre que pueden utilizarse en la investigación y en la clínica para tratar enfermedades de la sangre y el sistema inmunológico. La sangre del cordón umbilical se puede recolectar y almacenar en bancos públicos y privados.

Con el consentimiento de los padres, la sangre se puede recoger del cordón umbilical de un bebé recién nacido. Esto no hace daño al bebé ni a la madre y es la sangre que de otra manera sería descartada como desecho biológico junto con la placenta (otra rica fuente de células madre).

Las células madre de sangre de cordón se utilizan actualmente para tratar la gama de trastornos de la sangre y las condiciones del sistema inmunológico como la leucemia, la anemia y las enfermedades autoinmunes. Estas células madre se utilizan en gran medida en el tratamiento de los niños, pero también han comenzado a utilizarse en adultos después del tratamiento de quimioterapia.

Otro tipo de célula que también se puede recoger de la sangre del cordón umbilical, son las células estromales mesenquimales. Estas células se pueden convertir en hueso, cartílago y otros tipos de tejidos y se utilizan en muchos estudios de investigación.

Numerosos ensayos clínicos han demostrado que hay menos posibilidades de tener un rechazo de trasplante alogénico (de una persona a otra), si se realiza con sangre del cordón umbilical en vez de trasplante de médula ósea.

Según la comunidad científica la razón más probable de este hecho, es que las células del sistema inmunitario del recién nacido están menos desarrolladas que en el adulto.

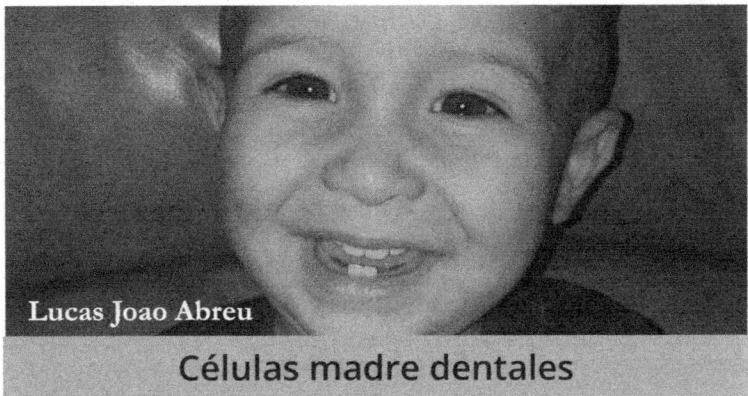

Lucas Joao Abreu

Células madre dentales

Los dientes son la fuente más natural y menos invasiva de obtener células madre, además son prometedoras para una gama de aplicaciones terapéuticas.

Las células madre contenidas dentro de los dientes, en la pulpa dental pueden obtenerse fácilmente en el momento de la extracción de estos con planificación anticipada. Las células madre vivas que se encuentran en la pulpa de los dientes extraídos se descartaban de forma rutinaria. Sin embargo, ahora se pueden preservar gracias al avance de la investigación médica.

Las células madre de la pulpa dental son multipotentes, por lo que tienen el potencial de diferenciarse en una variedad de tipos de células.

Descripción

Los dientes de leche son los primeros dientes en el desarrollo del crecimiento de los seres humanos. Generalmente aparecen en la boca de un bebé alrededor del quinto al sexto mes de edad.

Normalmente, el conjunto de dientes de leche de un niño consta de 20, incluyendo 8 incisivos, 4 cúspides y 8 molares.

Por lo general, los dientes de leche se caen y son reemplazados por dientes permanentes, pero en ausencia de reemplazos permanentes, pueden permanecer funcionales durante muchos años.

Funciones

Estos primeros dientes son necesarios para que un niño mastique y hable además guardan el espacio para los futuros dientes permanentes del niño.

El diente de leche generalmente permanece en el niño, hasta que un diente permanente debajo de él está listo para salir a través de las encías. Las raíces del diente de leche se disuelven, el diente se afloja y cae. El diente permanente aparece unas semanas más tarde.

Los científicos han identificado que en la pulpa dental hay células madre mesenquimales. Este tipo particular de células madre, tiene el potencial futuro para diferenciarse en una variedad de otros tipos de células, incluyendo:

- Los miocardiocitos para reparar el tejido cardíaco dañado después de un ataque al corazón.

- Neuronal para generar tejido nervioso y cerebral después de una embolia.

104

- Miocitos para reparar el músculo perdido por trauma o enfermedad.

- Osteocitos para generar hueso después de una fractura.

- Condrocitos para generar cartílago de articulaciones.

- Adipocitos para generar grasa y tejidos de la cavidad oral.

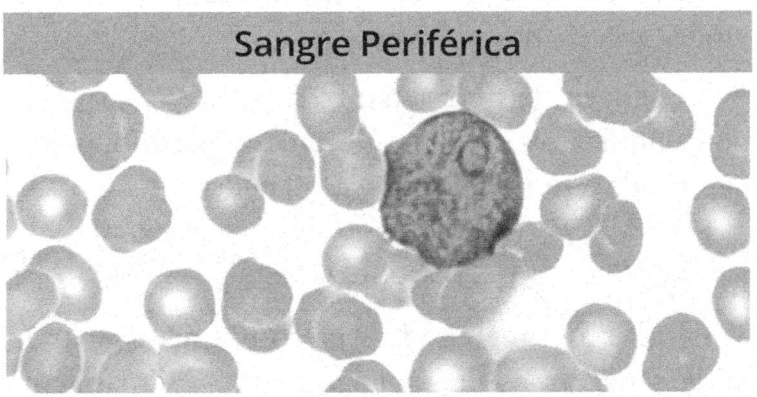

Sangre Periférica

Descripción

La sangre periférica se compone de eritrocitos, leucocitos y plaquetas. Estas células sanguíneas están suspendidas en el plasma, a través del cual circulan por todo el cuerpo.

Funciones principales de la sangre periférica:

La sangre periférica lleva nutrientes a todos los órganos y sistemas del cuerpo, también juega un papel importante en la excreción de los desechos del metabolismo al sistema excretor.

Además, es un componente importante en la inmunidad del cuerpo, ya que el flujo de sangre puede eliminar o prevenir infecciones bacterianas, virales o causadas por hongos.

La sangre periférica también puede transportar una significativa cantidad de agua y oxígeno, por lo que ayuda a purificar aún más el cuerpo.

Plasma

El plasma sanguíneo es el componente líquido de la sangre y es una solución acuosa, amarillenta y pálida que suspende las otras partes sólidas de la sangre. Representa alrededor del 55% del volumen total de nuestra sangre.

El plasma en sí se compone de 91,5% de agua. Actúa como un solvente para importantes proteínas, nutrientes, electrolitos y otras sustancias esenciales para la vida.

Para obtener una mejor idea visual de las partes separadas de la sangre, podemos examinar una muestra de sangre que se ha centrifugado. Los científicos utilizan una centrífuga para aislar los sólidos de los líquidos en una solución.

Esta máquina gira muy rápidamente y debido a la fuerza centrífuga, las partículas más pesadas se depositan en el fondo del tubo.

En la sangre, los glóbulos rojos son los más pesados y se separarán al fondo del vial. Sobre esta capa quedarán los glóbulos blancos y las plaquetas, el plasma quedará arriba de las plaquetas como una solución amarillenta.

Elementos sólidos

Las células de la sangre representan una categoría de células libres, que son producidas por la medula ósea y al entrar al torrente sanguíneo, quedan suspendidas en el plasma sanguíneo.

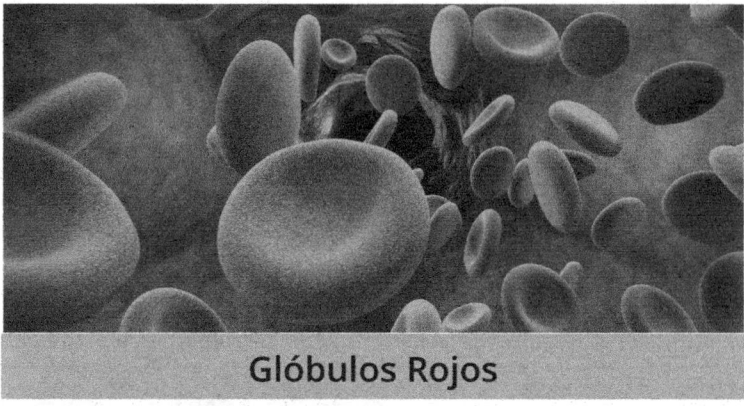

Glóbulos Rojos

Los glóbulos rojos o eritrocitos, son los más abundantes en el torrente sanguíneo y contienen hemoglobina. Esta hemoglobina es el compuesto que transporta oxígeno a través del cuerpo. Mientras que la hemoglobina puede ocurrir en un estado libre en algunos animales, en el cuerpo humano tiene que ser contenido dentro de los glóbulos rojos. Cualquier alteración de los glóbulos rojos, ya sea en su cantidad, forma, tamaño, estructura o ciclo de vida puede afectar la capacidad del transporte de oxígeno en la sangre.

Además de transportar oxígeno, que es la función principal de los glóbulos rojos, también puede realizar las siguientes funciones:

Liberar la enzima anhidrasa carbónica, que permite que la sangre lleve dióxido de carbono a los pulmones donde se expulsa.

Controlar el pH de la sangre actuando como un buffer ácido-base.

Plaquetas

Las plaquetas no son células, sino pequeños fragmentos celulares producidas en la medula ósea, que circulan en nuestro torrente sanguíneo. Su función principal es ayudar a detener el sangrado, formando un coágulo cuando hay una lesión en nuestro cuerpo. También producen múltiples factores de crecimientos, que ayudan a reparar el deterioro del cuerpo, además la capacidad de atraer células madre al sitio de injuria para reparar los tejidos que han sido dañados.

Leucocitos

Los leucocitos también se conocen como glóbulos blancos. Son las células que constituyen la mayoría del sistema inmunológico, que son los responsables de proteger al cuerpo en contra de sustancias extrañas e infecciones.

Los leucocitos se producen en la médula ósea. Estos existen en todas las partes del cuerpo, incluyendo el tejido conectivo, el sistema linfático y el torrente sanguíneo.

Granulocitos

Los **granulocitos** son un tipo de glóbulo blanco que tienen **gránulos**, los cuales contienen proteínas. Este tipo específico de granulocitos son neutrófilos, eosinófilos y basófilos. Los granulocitos, específicamente los neutrófilos, ayudan al cuerpo a combatir infecciones bacterianas.

Agranulocitos

Los agranulocitos están libres de gránulos visibles bajo el microscopio e incluyen linfocitos y monocitos. Juntos se coordinan entre sí para luchar contra cosas como el cáncer, el daño celular y las enfermedades infecciosas como virus.

A continuación, se discutirá información detallada sobre cada tipo de Granulocitos:

Neutrófilos

Los neutrófilos son el tipo más común de glóbulos blancos en el cuerpo, con niveles de 2000 a 7500 células por mm3 en el torrente sanguíneo. Los neutrófilos son glóbulos blancos de tamaño mediano, con varios núcleos irregulares y muchos gránulos que realizan diversas funciones dentro de la célula. Los neutrófilos funcionan bloqueando el paso de los gérmenes, que tratan de obtener acceso a la sangre a través de un corte o área infecciosa. Los neutrófilos son las primeras células que alcanzan el área donde se ha producido una infección por bacteria u hongos.

Estos matan los gérmenes por medio de un proceso conocido como fagocitosis (la capacidad de una célula de ingerir otras partículas de un tamaño mayor o igual a 0,5 μm). Además, liberan una explosión de súper óxidos, que tienen la capacidad también de matar muchas bacterias.

Eosinófilos

No hay muchos eosinófilos en el torrente sanguíneo, sólo unas 40-400 células por mm³ de sangre. Tienen gránulos grandes que ayudan en las funciones celulares. Los eosinófilos son especialmente importantes cuando se trata de alergias e infestaciones por parásitos.

Los eosinófilos trabajan liberando toxinas de sus gránulos para matar patógenos. Los principales patógenos en los cuales los eosinófilos actúan, son contra los parásitos y hongos. Los altos recuentos de eosinófilos están asociados con reacciones alérgicas.

Basófilos

Los basófilos son el tipo menos frecuente de glóbulos blancos, con sólo 0 a 100 células por mm3 de sangre. Los basófilos tienen gránulos grandes que realizan funciones que no son bien conocidas. Son muy coloridos cuando se miran a través del microscopio, haciéndolos fáciles de identificar.

Tienen la capacidad de secretar anticoagulantes y anticuerpos, que tienen función contra las reacciones de hipersensibilidad (alergias) en el torrente sanguíneo. Actúan inmediatamente, como parte de la acción del sistema inmune, contra los invasores extranjeros. Los basófilos contienen histamina, que dilata los vasos para traer más células inmunes al área de lesión.

Leucocitos no granulares (Linfocitos)

Los linfocitos son células pequeñas y redondas que tienen solo un núcleo grande dentro de una pequeña cantidad de citoplasma.

Los linfocitos tienden a residir en los tejidos linfáticos, incluyendo el bazo, las amígdalas y los ganglios linfáticos. Hay alrededor de 1300 a 4000 linfocitos por mm3 de sangre.

Los linfocitos B producen anticuerpos, que es uno de los últimos pasos en la resistencia a enfermedades. Cuando los linfocitos B producen anticuerpos, preparan los patógenos para la destrucción y luego preparan células con memoria, que pueden entrar en acción en cualquier momento, recordando una infección previa con un patógeno específico. Los linfocitos T, son otro tipo de linfocitos, diferenciados en el timo e importantes en la inmunidad mediada por células, especialmente contra virus.

Monocitos

Los monocitos son los más grandes de los tipos de glóbulos blancos. Sólo hay alrededor de 200-800 monocitos por mm3 de sangre. Los monocitos son agranulocitos, lo que significa que no tienen gránulos en el citoplasma, cuando se observan bajo el microscopio. Los monocitos se convierten en macrófagos cuando salen del torrente sanguíneo.

Como macrófagos, los monocitos realizan el trabajo de fagocitosis de cualquier tipo de célula muerta en el cuerpo, ya sea una célula somática o un neutrófilo muerto. Debido a su gran tamaño, tienen la capacidad de ingerir grandes partículas (células muertas, bacterias, parásitos, etc.).

Las células madre de la sangre, son producidas en la médula ósea, pero algunas están presentes en el torrente sanguíneo. Esto significa que estas llamadas células madre de sangre periférica, pueden ser aisladas de una muestra de sangre. Su porcentaje en la sangre periférica es de 5000 cm^3.

La obtención de células madre de sangre periférica es un procedimiento no quirúrgico, llamado aféresis, se realiza en un centro con experiencia o en una instalación hospitalaria ambulatoria. Durante 5 días previos a su donación, se le administrarán inyecciones de un medicamento llamado Filgrastim, para aumentar el número de células madre circulantes.

La sangre se extrae a través de una aguja en un brazo y pasa a través de una máquina que recogerá sólo las células madre. La sangre restante es devuelta al donador a través de una aguja en el otro brazo.

El 90% de todas las donaciones se completan en una sesión de aféresis, lo que puede tardar hasta 8 horas. El 10% restante de las donaciones se completa en 2 sesiones de aféresis, que durarán de 4 a 6 horas cada una.

El 50% de las células madre de la sangre periférica pueden convertirse en glóbulos rojos (eritrocitos), glóbulos blancos (leucocitos) o una célula grande llamada (megacariocito), que se fragmentan y forman las plaquetas (estas células madre se denominan hematopoyéticas).

Un número limitado de células madre, pueden repoblar milagrosamente toda la médula ósea, proporcionar un suministro interminable de células madre, reconstituir todo el repertorio de células sanguíneas y restaurar el sistema inmunológico. También hay en la sangre células madre mesenquimales y son importantes por ser multipotentes y pueden convertirse en múltiples tejidos y células de órganos.

Médula Ósea

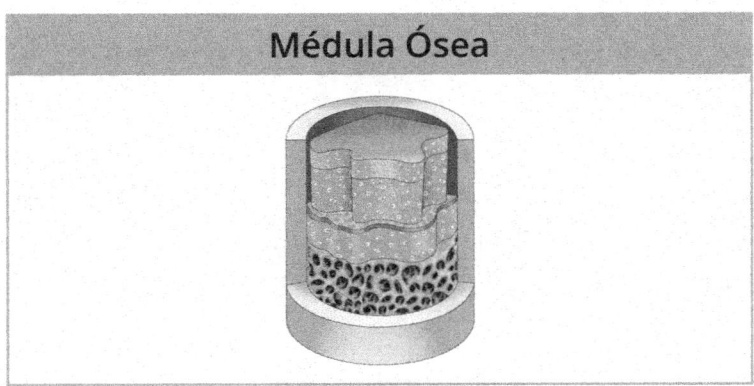

Descripción

Es un tejido suave y esponjoso que ocupa el centro de la mayoría de los huesos y se encuentra en dos formas: una médula ósea blanquecina o amarillenta, que consiste principalmente de células grasas y se encuentra especialmente en los huesos largos del fémur, humero, etc. También llamada médula amarilla y una médula ósea rojiza que contiene poca grasa, pero muchas células madre y se encuentra en los huesos planos, pelvis, esternón etc.... Un 50% de estas son hematopoyéticas y pueden formar todas las células de la medula ósea y el otro 50% de ellas son mesenquimales y se pueden convertir en múltiples tejidos y reparar órganos.

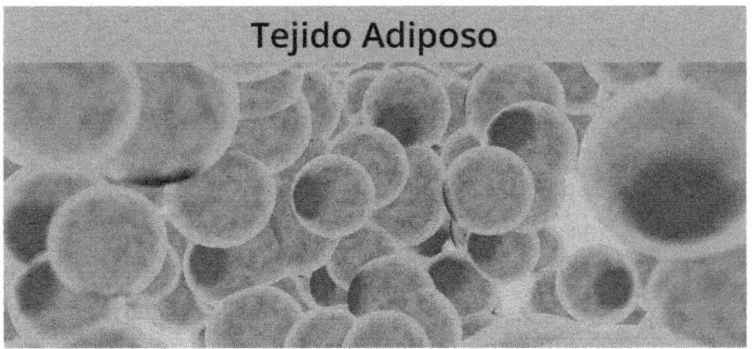

Tejido Adiposo

Descripción

Es un tejido conectivo que llena el espacio entre los órganos y los tejidos, y proporciona apoyo estructural y metabólico. El tejido adiposo se refiere a menudo a la grasa. Aunque la grasa es el componente principal, no es el único componente que se encuentra en este tejido.

Todos los mamíferos poseen tejido adiposo amarillo y marrón. El tejido adiposo amarillo es la célula grasa típica llamada adipocitos. Los adipocitos contienen gotitas lipídicas, que llenan el centro de la célula y están ancladas por fibras de colágeno. Las células de grasa marrón, son más pequeñas en tamaño y cantidad, y derivan su color de la alta concentración de mitocondrias, para la producción de energía y la vascularización del tejido. El tejido adiposo marrón se utiliza para proporcionar altos niveles de energía, como en los animales que hibernan y los niños que pueden necesitar protección térmica adicional.

Funciones

El tejido adiposo funciona como un cojín contra el traumatismo de los tejidos del cuerpo. Además, los principales órganos están envueltos en una capa de grasa, para proteger los órganos durante el trauma físico. El tejido adiposo también funciona como aislante térmico natural.

La grasa es una de las principales fuentes de energía del cuerpo. El alimento que se come y no se quema, se almacena como grasa en los adipocitos.

Esta se convierte en combustible, cuando el cuerpo se queda sin fuentes de energía inmediata de los carbohidratos.

Convertir la grasa en un combustible utilizable, tiene un alto costo y el cuerpo debe gastar el doble de energía para lograrlo, en comparación con los carbohidratos y proteínas. Por ejemplo, el cerebro generalmente agotará todas las otras opciones de energía (carbohidratos y fuentes de proteínas), en primer lugar, antes de consumir grasa almacenada.

Células madre del tejido adiposo

El tejido adiposo subcutáneo, consiste principalmente de adipocitos maduros y una fracción vascular estromal heterogénea (FVE), que incluye células madre, fibroblastos, células endoteliales, células de músculo liso, linfocitos y monocitos.

El número de células madre en el tejido adiposo es de 5-10 millones cm^3.

Funciones de las células madre de tejido adiposo

a) Capacidad reparadora de las células madre

Después de comprobada la similitud entre las células madre derivadas del tejido adiposo y las células madre mesenquimales, procedentes de la médula ósea y considerando su facilidad de obtención, se han intensificado las investigaciones interesadas en el potencial de las células madre, derivadas del tejido adiposo, conocidas como Adipose Derived Stem Cells (ADSC) por sus siglas en inglés.

Un gran número de estudios han demostrado la capacidad de las células madres del tejido adiposo, de reparar daños en tejidos y órganos *in vivo*[6]. La terapia de células madre derivadas del tejido adiposo en daño cerebral, demostró que las células, incluso después de varias semanas, se incorporan a la región dañada y muestran marcadores neuronales y morfología de las neuronas, astrocitos y oligodendrocitos.

También se investiga la capacidad inmunomoduladora de las células madre de tejido adiposo, para utilizarlas en las enfermedades autoinmunes o inflamatorias. Se ha comprobado que, en la artritis reumatoide y la colitis, las células madre del tejido adiposo son capaces de disminuir el proceso inflamatorio. Además sirven para controlar la respuesta de los linfocitos T que son los que participan en estas enfermedades.

b) Capacidad de diferenciación de las células madre derivadas del tejido adiposo

Tienen la capacidad de diferenciarse en células de origen mesodérmico como: fibroblastos (tejido de sostén), miocitos (tejido muscular), osteocitos (tejido óseo), adipocitos y condrocitos (tejidos de cartílago), proceso denominado diferenciación linaje-específica del mismo tejido embrionario de donde se originan.

En la actualidad existen evidencias de que las células madre de tejido adiposo, también poseen potencial, para su diferenciación hacia tejidos distintos a origen embrionario, como; neuronas, células pancreáticas endocrinas, hepatocitos (células de hígado), cardiomiocitos (células de corazón), pulmón y células epiteliales (piel), etc.

Es importante mencionar que los beneficios obtenidos con este tipo de terapia celular, no solo se debe a su capacidad de diferenciación en múltiples linajes, sino que además, tienen la característica de liberar citocinas y factores de crecimiento los cuales estimulan al resto de las células locales, estas pueden ser: el factor de crecimiento vascular endotelial, que promueve la formación de nuevos vasos sanguíneos (arterias y venas), el factor de crecimiento de los hepatocitos (células del hígado) y el factor de crecimiento similar a la insulina (IGF1 por sus siglas en inglés), que es esencialmente la hormona del crecimiento, que ayuda al rejuvenecimiento de todos los órganos y tejidos. También ayudan a retrasar el proceso de envejecimiento y además, participan en el reclutamiento de células madre circulantes.

De igual manera, las células madre del tejido adiposo, proveen antioxidantes que reducen los radicales libres en el sitio donde falta el suministro de oxígeno (metabolismo anaeróbico), con lo que disminuyen la cantidad de sustancias tóxicas y permiten la recuperación de las células locales sobrevivientes.

Tanto los adipocitos maduros, como la fracción estromal vascular (FEV), son esenciales para el mantenimiento de la función del tejido adiposo y, en consecuencia, participan en el control del metabolismo del azúcar y de los lípidos, y en la producción y liberación de las citoquinas que se encargan de regular el equilibrio energético y las funciones de este tejido y además almacenan hormonas (estrógenos).

Además, el tejido graso regula la temperatura y participa en la inmunidad del organismo.

Las células madre derivadas del tejido adiposo (ADSC), son una fuente de células madre mesenquimales, con propiedades de autorrenovación y diferenciación multipotencial (se pueden convertir en múltiples tejidos y órganos).

Las ADSC, también tienen el potencial de tratar diversas enfermedades como; esclerosis múltiple, diabetes mellitus, enfermedades autoinmunes, enfermedad de Parkinson, etc. Abundaremos al respecto en el Capítulo 9.

En comparación con otros tipos de células madre, las ADSC tienen cuatro ventajas principales: por un lado, pueden ser fácilmente accesibles a través de una mini liposucción, por otro lado, no tienen problemas éticos, morales o políticos como lo tienen las células madre embrionarias, y al derivarse de grasa autóloga (del mismo paciente), no tienen problemas de rechazo, además la cantidad de células madre es 500 veces mayor que las obtenidas de la médula ósea.

Estas características hacen que las ADSC sean la elección más aceptable para la terapia celular.

Referencias

1. In vivo: término científico indicando que algo ha sido observado en un ser viviente para hacer un experimento o una prueba clínica.

LA PRÁCTICA DE
LA MEDICINA
REGENERATIVA CON
CÉLULAS MADRE,
HA SIDO Y SERÁ
CONTROVERSIAL POR
MUCHO TIEMPO EN
TODO EL MUNDO,
A PESAR DE SER
PRACTICADA EN CASI
TODOS LOS PAÍSES.

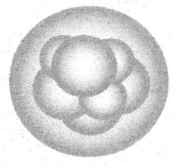

Capítulo 7

ASPECTOS GENERALES

En los humanos hay varios tipos de células madre (preembrionarias, embrionarias, fetales y adultas). Recientemente se pueden producir en el laboratorio, células madre pluripotentes inducidas (IPS), lo cual ha sido descrito ampliamente en el capítulo 6.

Estas todavía generan mucha polémica, debido a la manipulación de las células madre y la falta de estudios a largo plazo.

La práctica de la medicina regenerativa con células madre, ha sido y será controversial por mucho tiempo en todo el mundo, a pesar de ser practicada en casi todos los países. El aspecto más controversial es el ético/religioso y estos dos caminan de la mano, ya que el 83 % de las personas asocian lo ético con las 10.000 religiones existentes.

Desde el punto de vista ético/religioso, hay gran discusión en torno al uso de células madre embrionarias, debido a que para obtenerlas hay que destruir al embrión, lo que equivale a la aniquilación de una vida. Esto lo hace ética y religiosamente inaceptable.

No hay controversia ética/religiosa en el caso de las células madre fetales, si se obtienen de un aborto espontáneo. Sin embargo, esto es poco probable, porque ya que seguramente el feto usualmente habrá muerto varios días antes de la obtención de las células madre y por tanto no son viables.

En referencia a los abortos terapéuticos o voluntarios, las controversias éticas son mínimas, excepto en el caso en que los abortos voluntarios se hagan para proporcionar material para investigación científica. Muchas religiones no están de acuerdo con estos tipos de abortos.

Las células madre adultas, están libres de controversias éticas/religiosas, siempre y cuando se obtengan de la misma persona que las utiliza o cuando se obtienen de una persona (donante) para ser utilizadas en otro sujeto (receptor). Ambos procedimientos son ampliamente permitidos.

Las regulaciones que se requieren en los estudios clínicos, incluyen consentimiento informado del paciente o tutor legal, explicación del procedimiento y contestar preguntas con respecto al procedimiento.

Lo mismo se aplica, para las recientemente descritas células madre pluripotententes inducidas y las células madre del cordón umbilical, dientes y de placenta, las cuales al ser adultas carecen de restricciones éticas agregadas.

En otro escenario, hay una gran controversia con los usos de células madre, que se obtienen de los embriones que sobran en los procedimientos de fertilización, porque de todas formas estos embriones van a ser destruidos.

Aspectos médicos /científicos

En referencia al uso de embriones para fines terapéuticos, la comunidad médica/científica se mantiene dividida, aunque es aceptado en varios países, principalmente si se usan embriones sobrantes de los procedimientos de fertilización en vitro.

Hay también una gran división acerca de la clonación humana, en la cual la mayoría de los médicos/científicos no están de acuerdo, pero hay muchos que apoyan la clonación terapéutica. Esto consiste en extraer el núcleo de una célula adulta e introducirlo en un óvulo al que se le ha sacado el núcleo, para luego obtener células madre embrionarias, por tanto, se rigen con los criterios establecidos para las células embrionarias.

La comunidad médica/científica no favorece el uso de células madre embrionarias, por su capacidad de producir tumores malignos (teratomas y teratocarcinoma).

En referencia a células madre adultas, no hay ningún debate médico/científico y todos concuerdan, en que esta es la mejor fuente de células madre para uso clínico, sobre todo si son autólogas.

Aspectos legales

Existen regulaciones específicas para el uso de células madre embrionarias, para la investigación científica, pero no está aceptado su uso clínico.

El trasplante de células madre de medula ósea, es legal y regulado. A pesar de que la FDA no regula los procedimientos con células madre, sí hay que cumplir los requisitos de buena práctica médica y las recomendaciones estipuladas en la última revisión de 2013 de la Declaración de Helsinki, sobre la investigación médica. Son principios éticos en relación a la experimentación humana, elaborado por la World Medical Association (WMA), para la comunidad médica. Este es considerado como el documento más importante sobre la ética de la investigación humana con células madre.

En Estados Unidos hay otras regulaciones adicionales:

1. **Régimen de aprobación condicional:** que permite la utilización de células madre cuando la eficacia y seguridad se han demostrado, aun antes de terminar estudios de fase 3 (estudios clínicos en humanos).

2. **Programa para uso compasivo:** que permite el tratamiento a pacientes muy enfermos, con drogas no aprobadas o células madre, cuando no hay otras terapias eficaces disponibles.

3. **El acto de curación del siglo 21:** en diciembre de 2016, el Congreso de los Estados Unidos aprobó que se introdujeran opciones para acelerar el uso de células madre, sin tener que hacer

extensos estudios de fase 3.

4. **Aprobación vía rápida del FDA:** que permite obtener una aprobación de medicinas no aprobadas o células madre, cuando todavía están en fase 1 o 2 (estudios preclínicos con animales) para pacientes con poca expectativa de vida.

5. **Legislación al derecho a tratar:** que permite a médicos y pacientes usar células madre o medicinas que todavía no están aprobadas fuera de las regulaciones de la FDA.

6. **Régimen de excepción hospitalaria:** permite terapias con células madre, bajo la responsabilidad exclusiva del médico, si el paciente está de acuerdo.

Hoy hay más de 500 clínicas privadas, que practican medicina regenerativa con células madre, aun sin la aprobación de la FDA, porque no están reguladas (La FDA no regula procedimientos médicos, solo alimentos y drogas).

Con el crecimiento del número de clínicas que utilizan estos procedimientos, siguiendo los cambios regulatorios introducidos por el acto de curación del siglo 21 y los cambios anunciados por el presidente Donald Trump, producirán una expansión de centros de terapias con células madre en todo el mundo.

Por esto y por mucho más, la tolerancia o permiso para el uso de células madre, ha sido más relajado en países como Japón, China, Estados Unidos y Europa, lo cual predigo que se extenderán por todo el mundo.

Además, en Estados unidos, está aprobada la investigación con células madre patrocinado (pagado) por los pacientes.[5]

Referencias

1. Wikipedia (Declaración de Helsinki 2013).

SE HA DESCUBIERTO
QUE EL TEJIDO
ADIPOSO (LA GRASA),
ES UNA IMPORTANTE
FUENTE DE CÉLULAS
MADRE ADULTAS.

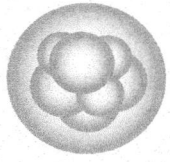

CAPÍTULO 8

PRESERVACIÓN Y CULTIVO

La criopreservación es el proceso de preservar células a temperaturas muy bajas, entre -70 grados y -196 grados centígrados, manteniendo su viabilidad por años.

La utilización de bancos de células también reduce el costo de los procesos de cultivo celular, proporcionando una alternativa para mantener células vivas.

Criopreservación del líquido amniótico

Las células madre amnióticas, se obtienen del líquido amniótico extraído durante una amniocentesis, que usualmente se práctica para un diagnóstico genético y típicamente se realiza en el segundo o tercer trimestre del embarazo. Si se práctica con el fin de preservar las células madre, una pequeña cantidad del líquido extraído para el análisis genético, se transporta al laboratorio. La recolección de la muestra, no causa ningún cambio en el procedimiento estándar de amniocentesis y, por lo tanto, no añade ningún riesgo adicional a la madre ni al feto. En los Estados Unidos la Administración de Alimentos y Medicamentos (FDA), regula las células madre amnióticas, bajo la categoría de "células humanas, tejidos y productos basados en tejidos celulares".

Después de la recolección, la muestra de líquido amniótico que contiene las células madre, se envía a un laboratorio de procesamiento y almacenamiento. La muestra procesada se expone a un proceso gradual de congelación, que es importante porque mantiene las células vivas durante este proceso de criopreservación. Después de la congelación, la muestra se transfiere a un tanque de almacenamiento de nitrógeno líquido.

Criopreservación de la placenta y cordón umbilical

La placenta que generalmente se descarta después del parto, es también una fuente muy rica de células madre. Algunos investigadores han sugerido, que la placenta puede contener más células madre que incluso la sangre del cordón umbilical. Las células madre placentarias, también tienen antígenos de superficie relativamente débiles, por lo que pueden utilizarse en una amplia variedad de pacientes, con poco o ningún rechazo.

Las células de la placenta pueden ser depositadas y criopreservadas, como las de sangre del cordón umbilical y son células adultas multipotentes, por lo que son fáciles de controlar y manipular para uso terapéutico.

Las células madre de la placenta se obtienen generalmente durante el parto normal o durante la cesárea.

Las células madre de la placenta, además de las encontradas en la sangre del cordón umbilical, tienen un número significativo de células madre prenatales, que se obtienen ya sea para uso inmediato o para conservarla. Para lograr esto, la placenta debe ser enviada al laboratorio para el procesamiento de recuperarlas.

La recolección y procesamiento de células madre de la placenta, es más complicada que el procesamiento de células madre de la sangre del cordón umbilical.

Las células madre de la placenta y de la sangre del cordón, se procesan y criopreservan en tanques de nitrógeno líquido a -170 grados Celsius, o aproximadamente -274 grados Fahrenheit.

Criopreservación de los dientes de leche

La pulpa dental de los dientes de leche es una fuente importante de las células madre mesenquimales, que sirven para regenerar todo tipo de tejidos. Actualmente es posible aprovechar la etapa de dentición de los hijos (que están presente entre los 6 y los 12 años de edad), para conservar este valioso material biológico.

La pulpa dental como fuente de células madre, presenta una gran ventaja, ya que en general no se requiere una intervención dolorosa para su obtención, además que, al provenir de personas jóvenes o niños, tienen un gran potencial de aplicaciones médicas.

Las células madre se extraen de la pulpa dental y se cultivan. Se lleva a cabo un recuento total de células y luego se confirma la presencia y el número de las células madre separadas, mediante la citometría de flujo. También se preserva con criopreservación una porción de la pulpa dental en su estado original.

El trasplante de los dientes criopreservados, podría ser una terapia eficaz y biológica para el reemplazo de los dientes perdidos por traumas.

Criopreservación de la médula ósea

La médula ósea se extrae de los huesos de la pelvis, del esternón o de las piernas bajo anestesia local. La recuperación suele ser rápida, porque es un procedimiento poco invasivo.

Existen diferentes tipos de trasplantes de médula ósea:

Autólogo: el tejido procede del mismo individuo.

Heterólogo: el tejido no procede del mismo individuo.

A diferencia de otros órganos, las células de la médula ósea, pueden criopreservarse durante períodos prolongados sin sufrir daños significativos.

En el caso de trasplantes alogénicos, se prefieren células madre hematopoyéticas frescas, para evitar la pérdida de células que podría ocurrir durante el proceso de congelación y descongelación.

Para la crioconservación se debe agregar un conservante y las células deben enfriarse muy lentamente en un congelador de velocidad controlada, para prevenir la lesión celular osmótica durante la formación de cristales de hielo. Las células madre hematopoyéticas, se pueden almacenar durante años en un cryofreezer que normalmente utiliza nitrógeno líquido.

Criopreservación de tejido adiposo

Se ha descubierto que el tejido adiposo es una importante fuente de células madre adultas.

Las células madre derivadas del tejido adiposo pueden diferenciarse en una amplia variedad de tejidos mesenquimales, tales como grasa, hueso, cartílago, músculo y endotelio. También pueden convertirse en células hematopoyéticas, hepatocitos y células neuronales, entre otros.

Existen en gran número dentro de los depósitos de grasa humana, superando en mucho las células madre de la médula ósea. Además, las células madre derivadas del tejido adiposo, son más resistentes durante la crioconservación, en comparación con las células madre de otros lugares, como la médula ósea y la pulpa dental.

Proceso de la criopreservación

Realizamos la recolección del tejido graso con una mini liposucción. Previamente preparamos el tejido graso de las zonas a tratar, mediante infiltración de anestesia local, las zonas más frecuentemente utilizadas son: abdomen, flancos, caderas y cara interna de muslos.

La extracción de tejido adiposo, se realiza de forma estéril, con aspiración a baja presión y utilizando cánulas de bajo calibre. El tejido graso aspirado se recolecta en jeringas estériles, en una cantidad aproximada de 50 a 150 cc por paciente.

El tejido graso obtenido mediante lipoaspiración, puede preservarse intacto durante un largo tiempo en bancos de congelación, controlado a baja temperatura (-85° C.) seguido de almacenamiento en nitrógeno líquido, con uso de agentes crioprotectores, a fin de ser empleado luego, como fuente para el trasplante graso autólogo en indicaciones estéticas o para obtener células madre y utilizarlas para terapia en muchas enfermedades crónicas degenerativas.

LAS ERECCIONES HAN REAPARECIDO Y MI MATRIMONIO RESTABLECIDO, POR LO QUE ME ENCUENTRO MUY COMPLACIDO CON EL RESULTADO DEL TRATAMIENTO.

- Paciente de tratamiento disfunción eréctil

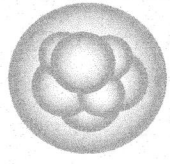

CAPÍTULO 9

TESTIMONIOS Y ENFERMEDADES TRATADAS CON CÉLULAS MADRE

Hace 28 años, cuando era director de cuidados intensivos y jefe del Departamento de Investigación de Enfermedades Pulmonares, en el Hospital Sinaí de Detroit, me interesé mucho en la nutrición y suplementación con vitaminas y minerales.

Agregando estas disciplinas en pacientes crítica-mente enfermos, logramos excelentes resultados con respecto a disminuir el tiempo de hospitaliza-ción y una más pronta recuperación.

Por las observaciones anteriores comencé a estudiar medicina alternativa (natural), donde comprobé que la medicina tradicional tiene buenos resultados en pacientes con enfermedades agudas. Pero, la medicina alternativa siempre ha tenido mejores resultados en las enfermedades crónicas y degenerativas. Continúe investigando sobre cómo mejorar la salud y por ende la vida de mis pacientes. En 1991 fui a un congreso anti-envejecimiento lo cual me produjo una gran emoción y cambió en mí, la idea de ver envejecer a mis pacientes con múltiples incapacidades y sufrimientos. Entonces, decidí comenzar a practicar la medicina anti-envejecimiento y medicina alternativa, aunque continué practicando neumología, cuidados intensivos y trastornos del sueño.

Hace 10, años pensando ya en retirarme de la me-dicina, una noche pasando visita en un hospital, mi colega el Dr. Luis Peña se me acercó y me preguntó

¿estás usando plasma rico en plaquetas en tu práctica?
Le contesté que no, pero comencé a preguntarle
sobre el tema y esa misma noche decidí incorpo-
rarla a mi práctica para evaluar resultados. Con el
ideal de mejorar los tratamientos, agregué a mi práctica la terapia celular con médula ósea, obteniendo
resultados muy satisfactorios.

Un día recibí por correo electrónico, una invi-
tación para asistir a un curso de células madre derivadas del tejido adiposo (grasa). Después de una
breve investigación sobre el tema, decidí tomar el
curso con el Dr. Vasilis Pasparialis.

Después de varios intentos poco exitosos, decidí
traer a Miami al profesor que me había entrenado y
tratamos ocho pacientes voluntarios.

En tres días, recibí práctica suficiente para comenzar a tratar pacientes, pero decidí esperar los
resultados de mis pacientes voluntarios.

Tres meses después, quedé bastante impresionado
con los resultados y comencé a tratar pacientes con
un criterio de investigación.

Un año después y más de cincuenta pacientes
tratados con diferentes enfermedades, decidí
estandarizar los tratamientos. Fue entonces cuando
elaboré un protocolo general al que llamé **Stemprocell**.

Stemprocell

Este procedimiento innovador que tanto usamos, está disponible en nuestros centros **3 Med Health** en Santo Domingo y **Mother Stem Institute** en Miami y se basa en el uso de células madre derivadas de tejido adiposo más Plasma Rico en Plaquetas (PRP). Es un procedimiento que al usar células autólogas, no produce rechazo, ni efectos secundarios.

El mismo ofrece los beneficios de la biociencia médica, a los pacientes que han sido diagnosticados con enfermedades crónicas degenerativas. Proporciona un método viable y eficaz mejorando la capacidad natural del cuerpo para su regeneración. También proporciona una valiosa fuente de rejuvenecimiento de los tejidos y órganos.

He aquí algunas de las enfermedades que pueden ser mejoradas con este procedimiento de *Stemprocell*:

- Accidentes cerebrovasculares
- Alzheimer
- Alopecia (pérdida del cabello)
- Anti-envejecimiento
- Artritis
- Artritis reumatoide
- Asma bronquial
- Atrofia del nervio óptico
- Ataxia Friedrich
- Atrofia cerebral
- Atrofia espinocerebelosa
- Autismo
- Bronquiectasias
- Cirrosis hepática
- Cor pulmonale
- Colitis ulcerativa
- Demencia
- Diabetes Mellitus tipo 1 y 2
- Disfunción eréctil
- Distrofia muscular de Becker
- Distrofia muscular de Duchenne
- Desórdenes de la audición
- Degeneración macular
- Enfermedades autoinmunes
- Enfermedades cerebrales
- Enfermedad de la neurona motora
- Enfermedad de Peyronie
- Enfermedad de Crohn
- Enfermedad cerebrovascular
- Enfermedad de Lyme
- Enfermedad inflamatoria del intestino
- Enfermedades renales
- Enfermedades del hígado
- Enfermedad de Parkinson
- Enfisema pulmonar
- Esclerosis lateral Amiotrófica (ELA)
- Esclerosis múltiple (EM)
- Epilepsia
- Encefalitis
- Enfermedad de Gaucher
- Enfermedades por virus
- Fallo renal
- Fibrosis Pulmonar
- Fibromialgia

- Fracturas de hueso
- Glaucoma
- Hipoxia cerebral
- Hepatitis C
- Hipertensión pulmonar
- Infarto al Miocardio
- Lupus eritematoso sistémico
- Miastenia graves
- Mielitis transversa
- Neuropatía óptica isquémica
- Neurofibromatosis
- Osteoartritis
- Osteogénesis imperfecta
- Osteoporosis
- Parálisis cerebral
- Polineuropatía crónica inflamatoria
- Pie diabético
- Psoriasis
- Retinosis pigmentaria
- Rejuvenecimiento facial
- Sarcoidosis
- Síndrome del túnel carpiano
- Síndrome de Guillain Barré
- Traumas musculoesqueléticos
- Trauma cerebral

En la actualidad las células madre del tejido adiposo, han demostrado tener un papel muy importante en la reparación y regeneración tisular Son células mesenquimales multipotentes que se pueden obtener fácilmente por lipoaspirado. Tras un proceso de digestión enzimática y centrifugación, se cosecha la fracción vascular estromal en el sedimento después de centrifugar, la cual contiene un gran número de células madre.

Hay diversos aspectos que han convertido a las células madre del tejido adiposo, en una importante opción en terapia celular en los últimos años:

- La seguridad demostrada en ensayos clínicos.

- Hay mayor cantidad de células mesenquimales

en el tejido adiposo con respecto a la médula ósea, sangre periférica o cordón umbilical.

- El tejido adiposo es usualmente abundante y fácil de reponer.

- El carácter inmunorregulador a través de la secreción de péptidos o interacción directa.

- Gran acción facilitadora, con el objetivo de crear un microambiente adecuado para activar los procesos de reparación de los tejidos.

Desafortunadamente, las células madre en el tejido adiposo, están inertes y tienen que ser activadas antes de aplicarlas a los pacientes.

La aplicación de células madre, cambia completamente la manera como se practica la medicina hoy en día. Estas son las células de las que estamos hechos y cuando las reintroducimos activas al cuerpo enfermo, se producen cambios positivos.

Stemprocell
¿En qué consiste el procedimiento?

El tejido adiposo se extrae del paciente, mediante una mini liposucción y se procesa con el protocolo *Stemprocell,* para obtener la fracción vascular estromal rica en células madre. También la muestra de sangre, se procesa para obtener plasma rico en plaquetas (PRP) y sucesivamente plasma rico en factores de crecimiento. A continuación, las células madre se activan. Después, literalmente, millones de células madre recién activadas, más plasma rico en factores de crecimiento, se administran de nuevo en el cuerpo e inmediatamente comienzan a trabajar.

¿Cuál es la duración del procedimiento?

El procedimiento de *Stemprocell* puede ser completado en cuatro o cinco horas, dado que los pacientes son tratados con anestesia local y sedación en caso de ser requerida. El procedimiento es prácticamente indoloro y se adapta fácilmente a su estilo de vida activo.

¿Hay algún efecto secundario?

Los efectos secundarios de *Stemprocell* pueden incluir inflamación mínima, algunos hematomas leves y enrojecimiento en el área de miniliposucción. Algunos pacientes pueden experimentar náuseas o dolores de cabeza ocasionales durante las primeras 24 horas después del procedimiento.

Hemos establecido protocolos para diferentes grupos de enfermedades:

1. **Evaluación del paciente**

    - Historia clínica y examen físico.

    - Estudios de laboratorios y radiológicos de ser necesario.

2. **Preparación de *Stemprocell***

- Mini liposucción para obtener la grasa.

- Extracción y preparación de la muestra para obtener la fracción vascular estromal.

- Obtención de sangre para obtener plasma rico en factores de crecimiento.

3. **Aplicación de *Stemprocell*** (fracción vascular estromal más plasma rico en **factores de crecimiento**). Se pueden aplicar vía:

- Sistémica (intravenosa)

- Intraarticular

- Intratecal

- Dérmica

- Cuero cabelludo

- Pene

- Cara, etc.

4. **Seguimiento clínico**

El paciente debe ser evaluado al día siguiente del procedimiento, al mes, a los tres meses y al año.

Después de varios años, de cientos de pacientes tratados y de acuerdo a nuestra experiencia, comenzamos a desarrollar protocolos para diferentes tipos de enfermedades, mejorando así, los resultados previamente obtenidos.

En este momento tenemos protocolos especiales para las siguientes condiciones y enfermedades

- Anemia perniciosa (anemia por deficiencia de vitamina B12)
- Antienvejecimiento
- Artritis reumatoide
- Ataxia de Friedreich
- Autismo
- Degeneración macular
- Diabetes mellitus tipo 1 y 2
- Disfunción eréctil
- Distrofias musculares (Duchenne y Becker)
- Embolismo cerebral
- Enfermedad celíaca
- Enfermedad de Alzheimer
- Enfermedad de Crohn
- Enfermedad de Huntington
- Enfermedad de Parkinson
- Enfermedad de Peyronie
- Enfermedades autoinmunes
- Enfermedades neurodegenerativas
- Enfermedades neuromusculares
- Esclerosis lateral amiotrófica
- Esclerosis múltiple
- Fibromialgia reumática
- Fibrosis pulmonar
- Lesión del cordón espinal
- Lupus eritematoso sistémico
- Miopatías congénitas
- Miopatías distales
- Neuropatías hereditarias sensitivo-motoras (enfermedades de Charcot-Marie-Tooth)
- Neuropatías periféricas
- Psoriasis
- Púrpura trombocitopénica idiopática
- Retinitis pigmentaria

A continuación, les describo algunas de las enfermedades donde he practicado los protocolos antes mencionados, acompañados de testimonios de pacientes donde se demuestran resultados satisfactorios.

Autismo

Es una condición neurológica que comienza en la niñez y dura toda la vida. Se caracteriza por una afección de la socialización, comunicación, imaginación, planificación y la reciprocidad emocional con conductas repetitivas.

En el espectro autista se pueden distinguir varios desórdenes que engloban el desorden autista. Estos son enfermedad de Rett, desorden desintegrativo de la infancia, síndrome de Asperger y el trastorno generalizado del desarrollo.

De las enfermedades del espectro autista, el desorden autista es el más prevalente y más severo.

La Organización Mundial de la Salud (OMS), estima que el autismo afecta a 62 niños por cada 10,000, mientras que el Centro de Control y Prevención de Enfermedades de Estados Unidos, reporta que uno de cada 68 niños en este país tiene algún trastorno autista.

Su severidad puede variar de leve a inhabilitante y se cree que es debido a factores ambientales y una predisposición genética.

El desorden autista puede aparecer entre los 12 a 18 meses de edad, pero su diagnóstico definitivo generalmente ocurre alrededor de los 24 a 36 meses. Sin embargo, en algunos casos no es hasta la adultez que se llega a diagnosticar a un individuo.

Aún se desconoce la causa exacta de este trastorno. Es probable que una serie de factores lleven a que se presente. Las investigaciones muestran que los genes pueden participar, ya que el desorden de aspecto autista se da en algunas familias. Ciertas medicinas tomadas durante el embarazo también pueden llevar a que el niño presente el trastorno de espectro autista.

Se ha sospechado de otras causas, pero no se han comprobado. Algunos investigadores creen que el daño a una parte del cerebro, llamada amígdala, podría estar implicado. Otros investigadores están estudiando si un virus puede desencadenar los síntomas.

Frecuentemente se ha escuchado y estudios han demostrado, que las vacunas pueden causarlo, pero varios estudios de investigación no han encontrado ninguna conexión entre las vacunas y el autismo, a pesar de que muchos padres han reportado la presentación del síndrome pocos días después de vacunar a sus hijos. El gobierno americano a través de The Federal Vaccine Injury Compensation Program, "la corte de vacunas" no reconoce que las vacunas puedan causar autismo, pero han remunerado entre

10 a 50 millones de dólares a casos que demandan al gobierno, porque sus hijos desarrollaron autismo después de haber sido vacunados. Los médicos y los grupos gubernamentales por supuesto informan que no hay ningún vínculo entre el autismo y las vacunas.

La mayoría de los padres de niños con trastornos del espectro autista, sospechan que algo no está bien cuando el niño tiene entre 12 y 18 meses. Los niños a menudo tienen problemas con:

- Juegos actuados

- Interacciones sociales

- Comunicación verbal y no verbal

- Algunos niños parecen normales antes de cumplir 1 o 2 años de edad. Luego pierden repentinamente las habilidades del lenguaje y sociales que ya habían adquirido.

- Los síntomas pueden variar de moderados a graves.

Una persona con autismo puede:

- Ser muy sensible en cuanto a la vista, el oído, el tacto, el olfato o el gusto (por ejemplo, negarse a vestir ropa porque da picazón y molestarse si se le obliga a usarla).

- Disgustarse mucho cuando le cambian las rutinas.

- Repetir movimientos corporales una y otra vez.

- Estar inusualmente apegado a los objetos.

Los problemas de comunicación pueden incluir:

- Ser incapaz de iniciar o mantener una conversación.

- Usar gestos en vez de palabras.

- Desarrollar el lenguaje lentamente o no desarrollarlo en absoluto.

- No ajustar la mirada para observar objetos que otros están mirando.

- No referirse a sí mismo correctamente (por ejemplo, dice: "¿Quieres agua?", cuando en realidad quiere decir: "Quiero agua").

- Repetir palabras o memorizar pasajes, como comerciales.

Interacción social:

- No hace amigos.

- No participa en juegos interactivos.

- Es retraído.

- Es posible que no responda al contacto visual, a las sonrisas o evite el contacto visual.

- Prefiere estar solo, en lugar de estar con otros.

- No es capaz de mostrar empatía.

Respuesta a la información sensorial:

- Presenta sentidos de la visión, el oído, el tacto, el olfato o el gusto muy altos o muy bajos.

- Los ruidos normales le pueden parecer dolorosos y se lleva las manos a los oídos.

- Puede evitar el contacto físico porque es muy estimulante o abrumador.

- Frota superficies, se lleva objetos a la boca o los lame.

- Puede tener una respuesta al dolor muy alta o muy baja.

Juego:

- No imita las acciones de otras personas.

- Prefiere el juego ritualista o solitario.

- Muestra poco juego imaginativo o actuado.

Comportamiento:

- Actúa con ataques de cólera intensos.

- Se dedica a un solo tema o tarea.

- Tiene un período de atención muy breve.

- Tiene intereses muy restringidos.

- Es hiperactivo o demasiado pasivo.

- Es agresivo con otras personas o se autoagrede.

- Muestra gran necesidad porque las cosas se mantengan iguales.

- Repite movimientos corporales.

Células madre y autismo

Las células madre tienen la capacidad de auto renovarse y producen continuamente neuronas, astrocitos y oligodendrocitos, por lo que pueden contribuir a recuperar zonas deterioradas del cerebro.

Las células madre utilizadas en el tratamiento del autismo, tienen un efecto positivo en todos los órganos y sistemas del organismo, no obstante, el objetivo principal del tratamiento es ayudar al funcionamiento del encéfalo.

Con el autismo las zonas del encéfalo responsables de la memoria, concentración, atención y lenguaje están comprometidas. Las células madre mejoran la circulación de la sangre y suministro de oxígeno en el encéfalo, remplazan las neuronas dañadas y estimulan la formación de nuevos vasos.

En numerosos estudios, las zonas afectadas por hipoperfusión (disminución del flujo de sangre que pasa por un órgano), parecen correlacionarse con regiones del cerebro, que son responsables de las funciones que son anormales en el autismo.

Se ha demostrado que el trasplante de células madre, forma nuevos vasos sanguíneos (neovascularización) y esto podría explicar la mejoría funcional en pacientes con autismo.

Las células madre, también tienen una función inmunomoduladoras, lo que significa que son capaces de corregir y potenciar el sistema inmunológico y activar la comunicación intercelular (entre las células del individuo). Estas son una de las causas responsables de la patología autista.

Testimonio de autismo

Paciente de 6 años, varón diagnosticado con autismo desde los 3 años de edad, comenzó con trastornos del lenguaje, jugaba solo, ataques de cólera a repetición. Sus padres lo llevaban a una escuela para niños con discapacidad. También de terapia para que el niño aprendiera a hablar, pero los padres no veían mejoría alguna por lo que comenzaron a investigar otras alternativas.

La mamá leyó en internet que los procedimientos con células madre, permitían que su rehabilitación fuera más acelerada en comparación a los pacientes que solo hicieran terapia física y de lenguaje. Rápidamente localizó a Mother Stem Institute y programó una cita.

En el 2015, el niño acudió a la cita con sus padres, donde le realizamos un examen médico exhaustivo. Le hablamos sobre el protocolo de células madre para el autismo, desarrollado por nosotros e informamos que esta terapia tiene un efecto positivo en todos los órganos y sistemas del organismo. Se les explicó que el objetivo principal del tratamiento, es ayudar al funcionamiento del encéfalo, donde se encuentran las zonas responsables de la memoria, concentración, atención y lenguaje que están alteradas en el autismo. Además, que este es un procedimiento completamente seguro, sin riesgos significantes ni efectos secundarios.

Los padres inmediatamente dieron su consentimiento informado y le realizamos el procedimiento al niño. Se fue ese mismo día para su casa y sin complicaciones.

A los 60 días, la madre acudió con su niño a consulta de seguimiento y nos dijo que el niño socializaba y jugaba con otros niños. El lenguaje había mejorado, el continuaba asistiendo a las terapias de lenguaje y los ataques de cólera eran menos frecuentes.

Un año después, la mejoría fue tan significativa, que el niño comenzó a ir a una escuela regular y socializaba con otros niños sin dificultad.

Sus padres están muy contentos con la confianza de que su niño aprenderá a convivir en sociedad y se comunicará con más naturalidad.

Referencia de Federal Vaccine Injury Compensation Program

https://hrsa.gov/vaccine-compensation/

Disfunción eréctil

La disfunción eréctil es la incapacidad de obtener o mantener una erección satisfactoria para realizar y terminar el acto sexual.

El Massachusetts Male Aging Study (MMAS), que entrevistó a 1,300 hombres, entre las edades de 40 y 70 años, reportó que la incidencia de disfunción eréctil es del 52% y extrapolando estos resultados a la población general, se concluyó que en Estados Unidos 30 millones de hombres están afectados por esta enfermedad.

De acuerdo al estudio DENSA (Disfunción Eréctil en Sur América), el 53% de los pacientes mayores de 40 años en Colombia, Ecuador y Venezuela fueron diagnosticados con esta patología.

Hay condiciones muy ligadas a la disfunción eréctil. Entre ellas; la diabetes, hipertensión arterial, bajos niveles de testosterona, alcohol, tabaquismo, apnea del sueño, enfermedades neurológicas tales como esclerosis múltiple, enfermedad de Parkinson, trauma de la columna vertebral, accidente cerebral y cirugías pélvicas (próstata).

También hay medicamentos cuyos efectos se relacionan con la disfunción eréctil. Algunos de estos son; Diazepam (Valium), Doxepina (Sinequan), Fluoxetina (Prozac), Flufenazina (Prolixin), Imipramina (Tofranil), Isocarboxazida (Marplan), Lorazepam (Ativan).

¿Cuáles son los síntomas de la disfunción eréctil?

- Problemas para obtener una erección
- Dificultad para mantener una erección durante las actividades sexuales
- Interés reducido en el sexo

Otros trastornos sexuales relacionados con ED incluyen:

- Eyaculación precoz
- Eyaculación retardada
- Anorgasmia, que es la incapacidad de alcanzar el orgasmo después de una amplia estimulación

¿Qué causa una erección?

Una erección es el resultado del aumento del flujo sanguíneo en el pene. El flujo sanguíneo suele ser estimulado por pensamientos sexuales o contacto directo con su pene.

Cuando un hombre se excita sexualmente, los músculos de su pene se relajan. Esta relajación permite un aumento del flujo sanguíneo a través de las arterias del pene. Esta sangre llena dos cámaras dentro del pene, llamadas los cuerpos cavernosos. Cuando las cámaras se llenan de sangre el pene crece rígido. La erección termina cuando los músculos se contraen y la sangre acumulada puede fluir a través de las venas peneanas.

La disfunción eréctil puede ocurrir, debido a problemas en cualquier etapa del proceso de erección. Por ejemplo, las arterias peneanas pueden estar demasiado dañadas para abrirse correctamente y permitir la entrada de sangre. También puede suceder que las venas peneanas no se contraen y se produce una fuga de sangre con la erección.

Células madre y la disfunción eréctil

Las células madre de tejido adiposo, son células capaces de diferenciarse en musculo liso, vasos sanguíneos y nervios que son las causas más importantes de la disfunción eréctil.

En nuestras clínicas Mother Stem en Miami, Estados Unidos y 3Medhealth en Santo Domingo, República Dominicana, hemos tratado, con nuestro protocolo a más de 100 pacientes con disfunción eréctil. Después de una evaluación psicológica se efectúa el procedimiento, el cual ha sido exitoso en el 80% de los pacientes.

En ambas clínicas, este tipo de tratamiento es de los más solicitados, por el éxito que continuamos teniendo.

Se estima que un 60 por ciento de los hombres en los Estados Unidos, mayores de 60 años tienen disfunción eréctil. Nosotros comenzamos a hacer estos tratamientos y logramos establecer varios protocolos, que aun continuamos desarrollando, según las situaciones que se nos presentan con diversos pacientes.

Mi gran satisfacción, ha sido el compartir con otros colegas y el público en general, sobre cómo se aplican las células madre, para proveerle a los pacientes con esta condición, una solución a sus problemas. Yo creo que es supremamente increíble.

Lo más importante es recalcar, que la mayoría de pacientes duran años y años y no hemos tenido que repetirle el tratamiento inicial, lo hemos repetido a unos cinco pacientes de los que hemos tratado.

Lógicamente tenemos pacientes que no han respondido tan bien.

Estos, en su mayoría, son los que comenzamos a tratar, que venían con historia de prostatectomía, y estos pacientes solo mejoraron por poco tiempo. Pero más de la mitad no responden, debido al trauma producido por la cirugía. La única opción para ellos, es implante peneano, que popularmente se le llama "bombita".

Testimonio de disfunción eréctil

Paciente de 55 años de edad, casado, padre de dos hijos, trabaja en una fábrica de ventanas, tiene historia de sobrepeso e hipertensión.

Por los últimos dos años, ha tenido dificultad progresiva para tener intimidad con la esposa, por lo cual, ha visitado varios médicos y le fue recomendado usar pastillas que funcionaron por un tiempo.

Afirma que *"De repente en una noche romántica con mi esposa todo iba bien, hasta que de pronto el soldado no se puso firme". ¿Qué paso? Es una de esas incógnitas que jamás entenderé y me iré a la tumba sin saber qué pasó. En serio, no volví a tener una erección suficiente, para tener una relación sexual.*

Mi esposa pensó que la engañaba con otra y que por eso no quería tener más intimidad con ella y me decía que ya no me gustaba como mujer. La situación empeoró, hasta el punto que me alejaba de ella para evitar el momento de la verdad.

Fue un serio problema, que estaba a punto de terminar mi matrimonio.

Hasta que le comenté lo que me estaba sucediendo a un doctor amigo de la familia y él me dijo que asistió a unas conferencias en Santo Domingo, donde el Dr. Álvaro Skupin, había presentado una investigación en un congreso, sobre tratamiento con células madre en pacientes con trastornos de erección.

Comencé a revisar por internet sobre las células madre y decidí investigar más. Visité Mother Stem Institute en febrero de 2014. El doctor me indicó unos laboratorios, me explicó las funciones que tienen las células madre y cómo era el procedimiento para mi problema que le llaman Doctor Parapalus (Protocolo especial para disfunción eréctil), es un nombre muy jocoso, pero describe el propósito del procedimiento. Después de escuchar todas las palabras del doctor, de inmediato acepté realizarme el procedimiento. En marzo de 2014 me lo realizaron y me mandaron a la casa el mismo día sin complicaciones ni molestias.

A los dos meses regresé a la consulta del Dr. Skupin, para gratificarle que me encontraba muy bien. Las erecciones han reaparecido y mi matrimonio restablecido, por lo que me encuentro muy complacido con el resultado del tratamiento y me sentía con más energía y deseos de seguir batallando por la vida.

Diabetes Mellitus

Diabetes Mellitus (DM), es un trastorno metabólico que se caracteriza por un nivel alto de glucosa (azúcar) en la sangre, la cual produce daños irreversibles en todos los órganos.

Actualmente, la Organización Mundial de la Salud (OMS), considera la diabetes como una "epidemia", En el 2014 se reportó que había 382 millones de diabéticos en todo el mundo, cifra que se estima sobrepase los 592 millones antes de los próximos 25 años. Se calcula que esta enfermedad puede llegar a cobrar más muertes que el SIDA y representa la séptima causa de muerte en el mundo. La Diabetes es más frecuente entre los latinos.

Los costos directos (gastos médicos), se calculan en 245 mil millones al año en Estados unidos.

Los costos indirectos, $69 mil millones (discapacidad, pérdida del trabajo y muerte prematura). Se estima que en el 2014 fallecieron 1.5 millones de personas, como consecuencia directa de la diabetes.

¿Conoces los síntomas de la diabetes?

Según la American Diabetes Association (Asociación Estadounidense para la Diabetes), casi un tercio de las personas que padecen de diabetes desconocen tener la condición.

Por tal razón, es sumamente importante instruirse sobre la diabetes incluyendo sus síntomas. Un diagnóstico temprano de esta condición, le puede ayudar a seguir llevando un estilo de vida normal.

Hay dos tipos de diabetes:

Las personas con diabetes Tipo 1 no producen insulina. Este tipo es común entre niños y jóvenes. Esta condición exige inyecciones de insulina para mantener una vida normal.

Las personas con diabetes Tipo 2 producen suficiente insulina, pero sus cuerpos no la usan adecuadamente. Es decir, que los receptores de la insulina están parcialmente bloqueados (resistencia a la insulina). Este bloqueo afecta sobre todo a adultos de edad avanzada y a las personas con un historial familiar de padecimiento de esta condición.

No obstante, en los últimos años, ha aumentado de forma alarmante, el número de niños diagnosticados con diabetes de Tipo 2. Los expertos atribuyen tal aumento a una mala nutrición, el sobrepeso y la falta de ejercicio, lo que también aumenta el desarrollo de diabetes tipo 2 en adultos.

¿Cree usted que pueda tener estos factores de riesgo?

Aquí mencionamos algunos síntomas comunes.

Las señales de alarma de diabetes de Tipo 1 incluyen:

- Orina frecuente

- Sed o hambre fuera de lo normal

- Baja de peso inexplicable

- Irritabilidad

- Fatiga

Las señales de alarma de la diabetes Tipo 2 incluyen los mismos síntomas del Tipo 1, más:

- Problemas de la vista

- Infecciones frecuentes y en particular de las encías, la vagina y la vejiga

- Heridas que tardan en sanarse

- Pérdida de sensación u hormigueo en las manos o pies

Las complicaciones de la diabetes son serias y pueden incluir ceguera, trastornos del riñón, trastornos del corazón, dolor o ulceras en las extremidades y disfunción eréctil.

Controle su diabetes... ¡Para vivir bien!

Células madre y Diabetes Mellitus

Las células madre tienen la capacidad de reparar cualquier órgano o tejido deteriorado, por tanto, ayudan a reparar los tejidos, que normalmente están afectados en la Diabetes Mellitus.

Stemprocell es una modalidad terapéutica prometedora, para el tratamiento de la Diabetes Mellitus. Aunque es muy prematuro para hablar de una cura, si es posible hablar de mejor control de la diabetes y evitar las complicaciones.

Testimonios de diabetes

Paciente 1

Paciente femenina de 20 años de edad, soltera, estudiante de secundaria, debutó a los 7 años con un cuadro de vómitos, decaimiento, fue ingresada en una unidad de terapia intensiva con el diagnóstico de Diabetes Mellitus tipo 1 y cetoacidosis.

Sus padres se alarmaron por su enfermedad, pues ella había tenido múltiples ingresos al hospital por descompensación de su diabetes. Se estaba inyectando 3 veces al día con insulina desde pequeña y siempre trataba de mantener una dieta balanceada. Muchas veces comía a escondidas de sus padres y eso le trajo como consecuencias los ingresos repetidos debido a hiperglicemia (niveles altos de azúcar).

Han pasado 13 años desde que fue diagnosticada con diabetes. Ha aumentado de peso, tiene poca energía, mantiene los niveles altos de azúcar en ayuna y se descompensa frecuentemente.

En el año 2016, sus padres se enteraron que, en la ciudad de Miami en Estados Unidos, estaban realizando tratamientos de células madre para la diabetes con resultados muy alentadores.

En marzo del 2016, vinieron a consulta. Después de una evaluación y extensa explicación sobre el protocolo desarrollado por nosotros, ella se realizó los exámenes de laboratorio y se sometió al procedimiento. La paciente se recuperó satisfactoriamente y regreso a su país continuando con sus estudios y sus tareas diarias.

Tres meses después, la paciente volvió a la oficina para un seguimiento, su estado de ánimo había mejorado. Tenía más energía, perdió 5 libras de peso, su dosis de insulina disminuyo un 50% y solo se inyectaba dos veces al día. Su control metabólico mejoró significativamente. Siete meses después, ella sigue mejorando y no ha sido hospitalizada después del procedimiento.

Paciente 2

Paciente femenina de 62 años, casada, madre de dos hijos, jubilada con historia de Diabetes mellitus tipo 2, diagnosticada hace 15 años.

Ella nos había informado que presentaba mucho descontrol de sus niveles de azúcar en ayunas, por lo que tiene mucha debilidad, pérdida de visión y dificultad para caminar, debido a dolores y adormecimiento de las piernas. La paciente tomaba Glipizida / Metformina 3 veces al día para poder controlar los niveles de azúcar en la sangre.

"Una vecina recientemente se mudó a mi barrio y ella también padece de diabetes. Me comentó que hacía un año le habían realizado un tratamiento de células madre y que había tenido un resultado muy favorable, me recomendó al Dr. Skupin y me explicó que él era un especialista en esos tratamientos.

Acudí en mayo del 2014 a ver al Dr. Skupin y me explicó que usando mis propias células madre y con un protocolo desarrollado por él, había una posibilidad de mejorar mis síntomas. No lo pensé dos veces y decidí realizarme el procedimiento.

En junio del 2014, me realizaron el procedimiento sin complicación alguna, por lo que regrese a casa el mismo día junto a mi familia.

Agradezco inmensamente a mi amiga por ponerme en mi camino a Mother Stem Institute y gracias a ese tratamiento he mejorado mi calidad de vida y hasta hoy estoy libre de diabetes."

A los 6 meses en visita de seguimiento, la paciente expresó mejoría de su estado de ánimo, caminaba sin dificultad, había suspendido progresivamente el medicamento para la diabetes y solo con una dieta balanceada y ejercicios había logrado un buen control metabólico, también los niveles de azúcar se normalizaron en ayunas.

Distrofia Muscular

Las distrofias musculares son enfermedades genéticas que causan debilidad progresiva en los músculos. Hay más de 30 diferentes formas de distrofia y la más común es la de Duchenne, que es también una de las más severas.

¿Cómo se diagnostica la distrofia muscular?

Un médico realiza un diagnóstico evaluando la historia clínica del paciente y realizando un examen físico exhaustivo. Los detalles sobre cuándo apareció por primera vez la debilidad, su gravedad y qué músculos se ven afectados, son esenciales para el diagnóstico. Las pruebas de diagnóstico también se pueden utilizar, para ayudar a distinguir entre diferentes formas de distrofia muscular o entre la distrofia muscular y otros trastornos de los músculo y nervios.

Sus formas más comunes en los niños, son las distrofias musculares de Duchenne y Becker.

CÉLULAS MADRE

La distrofia muscular de Duchenne

La distrofia muscular de Duchenne (DMD), es un trastorno genético caracterizado por degeneración muscular progresiva y debilidad. Es uno de los nueve tipos de distrofia muscular.

DMD es causada por una ausencia de distrofina, una proteína que ayuda a mantener las células musculares intactas.

Investigadores de la Perelman School of Medicine de la Universidad de Pensilvania, han hecho un descubrimiento sobre los trastornos de la distrofia muscular. Encontraron un acortamiento de los telómeros, específicamente en las células madre musculares, siendo esto un factor importante en el debilitamiento muscular progresivo y el desgaste observado en estos pacientes.

El inicio de los síntomas es en la primera infancia, generalmente entre las edades de 3 a 5 años. La enfermedad afecta principalmente a los niños, pero en casos raros puede afectar a las niñas.

La enfermedad afecta con mayor frecuencia a los niños, debido a que la enfermedad es hereditaria ligada al cromosoma Y.

Los hijos de mujeres portadoras de la enfermedad (mujeres con un cromosoma defectuoso, pero que no presentan síntomas), tienen cada uno un 50% de probabilidades de tener la enfermedad y las hijas tienen cada una, un 50% de probabilidades de ser portadoras, pero muy rara vez una niña es afectada por la enfermedad.

La distrofia muscular de Duchenne se presenta en aproximadamente 1 de cada 3,600 varones.

Síntomas

Los síntomas frecuentemente aparecen antes de los 6 años de edad. Pueden darse incluso desde el período de la lactancia. La mayoría de los varones no muestran síntomas en los primeros años de vida.

Los síntomas pueden incluir:

- Fatiga.

- Problemas de aprendizaje (el coeficiente intelectual puede estar por debajo de 75).

- La discapacidad intelectual es posible pero que no empeora con el tiempo.

- La debilidad muscular que comienza en las piernas y la pelvis, pero también se presenta con menos gravedad en los brazos, el cuello y otras zonas del cuerpo empeorando progresivamente.

- Problemas con habilidades motoras (correr, trotar, saltar, caminar).

- Caídas frecuentes.

- Dificultad para levantarse de una posición de acostado o sentado.

- Dificultad para subir escaleras.

- Dificultad progresiva para caminar que pronto lo llevará a usar una silla de ruedas.

- La dificultad para respirar y la enfermedad cardíaca que generalmente comienzan hacia los 20 años.

En el examen físico puede encontrarse:

- Pérdida de la fuerza

- Pérdida de masa muscular (atrofia)

- Contracturas musculares en las piernas y los talones

- Deformidades del tórax (escoliosis)

Los exámenes pueden abarcar:

- Electromiografía (EMG)

- Pruebas genéticas

- Biopsia de músculo

- Creatina-fosfoquinasa (CPK)

Tratamiento

No existe una cura conocida para la distrofia muscular de Duchenne. El objetivo del tratamiento es controlar los síntomas y enlentecer la progresión para mejorar la calidad de vida. Los esteroides pueden disminuir la pérdida de fuerza muscular.

La FDA aprueba el Exondys 51 (eteplirsen) para la Distrofia Muscular de Duchenne

La Administración de Alimentos y Medicamentos, ha aprobado hoy el Exondys 51 (eteplirsen) inyectable y es el primer medicamento aprobado para tratar a los pacientes con distrofia muscular de Duchenne (DMD).

Exondys 51, está específicamente indicado para pacientes que han confirmado la mutación del gen de la distrofina susceptibles de exón 51, que afecta a alrededor del 13 por ciento de la población con DMD.

La distrofia muscular de Becker

Es menos grave, pero está estrechamente relacionada con la distrofia muscular de Duchenne. También es un trastorno hereditario, que consiste en debilidad muscular de las piernas y de la pelvis que empeora más lentamente.

La distrofia muscular de Becker, ocurre en aproximadamente de 3 a 6 de cada 100,000 recién nacidos y afecta principalmente a los niños, por lo general comienza entre los 5 y 15 años de edad.

Síntomas

Los síntomas son los mismos que en la distrofia muscular de Duchenne, pero menos severos y progresan más lentamente.

En un examen físico puede encontrarse:

- Deformidades musculares como contracturas de talones y piernas.

- Pérdida muscular que comienza en las piernas y la pelvis, que compromete los músculos de los hombros, el cuello, los brazos y el aparato respiratorio.

- Insuficiencia cardíaca congestiva o latidos cardíacos irregulares (arritmias) infrecuentes.

Los exámenes para evaluar la enfermedad son los mismos que en la distrofia muscular de Duchenne.

Tratamiento

No existe cura conocida para la distrofia muscular de Becker. Sin embargo, hay muchas drogas nuevas que actualmente están siendo probadas en ensayos clínicos, que muestran promesas significativas en el tratamiento de esta enfermedad. El objetivo actual del tratamiento es controlar los síntomas para mejorar la calidad de vida de la persona.

Beneficios de las células madres

Las células madre autólogas derivadas de la grasa para la distrofia muscular, puede traer mejoría en la masa muscular, fuerza, movimientos y equilibrio. El tratamiento con células madre puede frenar o enlentecer la pérdida de masa muscular, regenerar fibras musculares, reducir la inflamación y por tanto disminuye el progreso de la enfermedad.

Testimonio de distrofia muscular de Becker

Paciente masculino de 11 años de edad, que en agosto del año 2014 presentó un episodio de dolor, debilidad y al despertarse se cayó de la cama. No pudo levantarse durante 2 horas, porque tenía dolor muscular permanente y debilidad en las piernas.

Después de un extenso trabajo de dictámenes médicos y estudios, fue diagnosticado con una distrofia muscular de Becker, en septiembre del año 2015. Le indicaron tratamiento con esteroides durante 6 meses, sin ninguna mejoría, es más, la enfermedad progresó.

Acude a nuestro centro acompañado de sus padres en una silla de ruedas, con gran dificultad para ponerse de pie y caminar. Ellos me afirmaron que estaban muy interesados en que su hijo se le realizará la terapia de células madre.

Les hable sobre el protocolo *Stemprocell* especialmente diseñado para distrofia muscular y los resultados obtenidos en otros pacientes con distrofias musculares. Procedieron a realizarle el procedimiento en mayo del 2016; el paciente regresó al hotel donde estaba hospedado, el mismo día del procedimiento.

A los tres meses, lo recibimos nuevamente en nuestro centro y la mamá nos refiere que el niño ha estado durmiendo bien y que su hijo tiene una mejoría notable. Está bañándose por sí mismo, también puede nadar, jugar al fútbol, camina sin ayuda, no usa más la silla de ruedas y el dolor en las piernas ha mejorado un 80%.

La familia hasta hoy está muy contenta, porque el procedimiento realizado ha sido un éxito y el niño ha retornado a las actividades de la escuela y a jugar con sus amigos.

Enfermedades neurodegenerativas

El cerebro, al igual que todos los órganos del cuerpo humano, tiene la capacidad de reemplazar las células muertas usando sus propias células madre, pero con los años, este potencial disminuye progresivamente.

Las enfermedades neurodegenerativas, incluyen un grupo de entidades de causa desconocida, con inicio insidioso y curso progresivo.

Afectan al sistema nervioso, produciendo deterioro muscular que avanza paulatinamente, hasta producir incapacidad severa en los pacientes.

En algunos casos los tratamientos médicos pueden disminuir la intensidad de los síntomas, pero sin llegar a mantenerlos bajo total control, ni detener el avance de la enfermedad.

Desde hace años, se viene trabajando con terapia celular y medicina regenerativa en estas enfermedades neurodegenerativas. La enfermedad de Parkinson fue de las primeras enfermedades donde se intentó esta terapia innovadora con buenos resultados.

Enfermedad de Alzheimer

Es una enfermedad neurodegenerativa que causa pérdida de memoria, alteración del comportamiento, de la forma de pensar, del carácter y se le llama el borrador de recuerdos. Esta enfermedad no es una causada por el envejecimiento.

La enfermedad de Alzheimer empeora al pasar el tiempo. Otros síntomas son confusión, desorientación, colocación de objetos fuera de lugar, problemas con el habla y la escritura.

Hoy en día, se estima que 5.1 millones de personas en los Estados Unidos tienen la enfermedad de Alzheimer y aumentará a 16 millones en el 2050. Debido a que un 70 por ciento de aquellas personas que padecen del Alzheimer viven en sus hogares, el impacto de esta enfermedad se extiende a los familiares, amigos y cuidadores. Es la demencia más frecuente, aumenta el 18 % cada año.

Los 10 síntomas de la enfermedad de Alzheimer

1. **La pérdida de memoria** es progresiva y generalmente olvida situaciones completas, olvida o cambia de identidad a familiares por ejemplo al hijo/a lo llama esposo/a etc.

2. **Dificultad en completar actividades rutinarias**, como preparar una comida, hacer una llamada telefónica o participar en eventos familiares (cumpleaños).

3. **Problemas del lenguaje**, olvida palabras simples o las sustituye por palabras inapropiadas o desconocidas. Por ejemplo, es posible que no encuentre su cepillo de dientes y en cambio pide "esa cosa para mi boca".

4. **Desorientación en tiempo y lugar**, puede perderse en la misma calle donde vive, no saber dónde está, cómo llegó allí ni como regresar a casa.

5. **Falta del buen juicio**, pueden vestirse inapropiadamente, poniéndose un abrigo en pleno verano o poca ropa cuando hace frío. Es posible que no tomen buenas decisiones con respecto a cómo manejar el dinero u objetos, regalándolos a personas desconocidas.

6. **Dificultades en realizar tareas mentales**, se confunde fácilmente al pensar en cosas abs-

tractas. Es posible que olvide completamente el significado de los números o cómo se usan.

7. **Colocación de objetos fuera de lugar**, guardando cosas en lugares poco comunes como la pecera, en el refrigerador o un reloj en la azucarera.

8. **Cambios de humor o comportamiento**, presentan cambios repentinos de humor (de felicidad a enojo o de pasivo a agresivo) sin razón aparente.

9. **Cambios en la personalidad**, pueden llegar a estar muy confundidas, desconfiadas, temerosas o depender mucho de un miembro de la familia, al cual identifican erróneamente.

10. **Pérdida de iniciativa**, pueden volverse muy pasivas, sentándose frente a la televisión por horas y horas sin realmente poner atención al televisor.

Tratamiento médico

El tratamiento médico disponible para la enfermedad de Alzheimer, no es exitoso. No ha demostrado mejorar la enfermedad y posiblemente solo disminuya la progresión de esta.

Células madre y la enfermedad de Alzheimer

El protocolo de *Stemprocell,* ha abierto una nueva puerta para conquistar la enfermedad de Alzheimer. Las células madre logran transformarse en el tipo de células que el paciente ha perdido (neuronas) y posiblemente pueden reducir las placas amiloides que están presentes y contribuyen a la pérdida de neuronas.

También suprime la apoptosis (muerte) de las neuronas del cerebro, por tanto, tiene un efecto preventivo y terapéutico contra la enfermedad de Alzheimer.

Testimonio de la enfermedad de Alzheimer

Paciente femenina de 60 años, madre de 4 hijos, casada, ama de casa, referida por sus hijos. Hace aproximadamente dos años, comenzaron a notar a su mamá muy nerviosa, con cambios en el comportamiento, lloraba y se encontraba irritable con ellos. La llevaron al psiquiatra y estuvo ingresada con el diagnostico de depresión.

Poco tiempo después, ellos notaron que la mamá olvido el cumpleaños de uno de sus hermanos y en vez de usar el cepillo de dientes buscaba el peine para cepillarse los dientes.

Su familia pensó que esto era debido al estrés y su depresión, sus hijos inmediatamente la volvieron a llevar al psiquiatra y este le refirió a un neurólogo.

Cuando el neurólogo la vio, la mandó a realizarse un electroencefalograma y que regresaran cuando tuvieran los resultados. Una vez que lo obtuvieron, fueron nuevamente a la consulta y el médico les dijo que su mamá no tenía nada, que era de nuevo un cuadro depresivo descompensado.

Siguieron visitando médicos y todos decían algo distinto y así sucesivamente uno tras otros, sin llegar a nada concreto.

Hasta que llegaron a una neuróloga, por recomendación de un médico amigo de su familia. Después de realizarle unos exámenes, les notificó a sus hijos que su madre tenía la Enfermedad de Alzheimer.

Esas palabras sonaron muy fuertes y la familia enseguida pensó que era el inicio de muchos cambios y que se avecinaba mucho dolor, angustias y sufrimientos.

Cuando la doctora les explicó qué era la enfermedad de Alzheimer, sus hijos quedaron aún más desesperanzados. Le mandaron un tratamiento por un año, pero su mamá no tenía mejoría y cada vez estaban más desesperados.

Una noche, uno de sus hijos estaba sentado viendo la televisión, cuando vio un programa donde hablaban de tratamientos con células madre para enfermedades neurológicas y entre ellas incluían la enfermedad de Alzheimer. Mencionaron que ese doctor se encontraba en la Florida. Inmediatamente buscaron por internet y localizaron nuestra clínica en Miami.

La paciente fue evaluada en consulta y sus hijos me relataron que hacía dos años que ella frecuentemente olvidaba donde dejaba los objetos. Ella no reconocía a los familiares, no participaba en festejos familiares, tenía ansiedad y cansancio durante el día. Había sido diagnosticada con la enfermedad de Alzheimer.

La evaluamos con la escala de deterioro global, para clasificar la alteración cognitiva[1] y se encontraba en un estadio 3.

Les explicamos a sus hijos sobre el protocolo *Stemprocell* para enfermedades neurodegenerativas y los resultados que estábamos obteniendo.

Se le realizó el procedimiento en julio del año 2014. Volvieron a consulta a los 4 meses. Sus hijos me comentaron que su mamá se sentía mejor, tenía mejor concentración para realizar las labores del hogar y tenía más energía.

La evaluamos nuevamente por la escala de deterioro global de la enfermedad y se encontraba en estadio 2. Había mejorado significativamente la memoria, estaba menos ansiosa, festejaba cumpleaños, recordaba a los familiares, pero todavía ocasionalmente olvidaba donde guardaba los objetos.

Su familia me comentó que estaban muy contentos, porque ella había mejorado su calidad de vida y que vivían tiempos más felices con su mamá.

Las células madre tal vez no son la cura para la enfermedad de Alzheimer, pero muchos pacientes muestran una gran mejoría y retornan a su vida cotidiana.

Enfermedad de Parkinson

Genera un daño progresivo del Sistema Nervioso Central (SNC), que altera el movimiento, control muscular, equilibrio y puede producir demencia. Afecta a hombres y a mujeres por igual y se desarrolla principalmente en la sexta década de vida, aunque existe una variante precoz que se manifiesta antes de los 40 años.

Por ser una enfermedad progresiva y neurodegenerativa, muchas neuronas se pierden en diferentes áreas del cerebro, es por ello la importancia de reemplazarlas.

Es el segundo trastorno neurológico degenerativo más frecuente, después del Alzheimer y afecta el 2%

de la población mundial.

El número de pacientes en los Estados Unidos, fue estimado en 340.000 en el año 2014 y se predice que aumentará a 610.000 para el año 2030.

Hay más de 50.000 nuevos casos diagnosticados de Parkinson cada año, de los cuales 2.500 a 5.000 son diagnosticados en adultos menores de 40 años en los Estados Unidos.

La Enfermedad de Parkinson ha sido responsable de 15,600 muertes en 2014, esa es una tasa de 5.5 por cada 100,000 personas en la población en general. El costo es enorme, $ 6,000 millones de dólares por año en Estados Unidos.

10 síntomas de alerta temprana de la enfermedad de Parkinson

Existen algunos signos y síntomas tempranos, que te pueden ayudar a reconocer si sufres de esta enfermedad. Llena el siguiente cuestionario y si presentas un mínimo de dos de estos diez síntomas frecuentes del mal de Parkinson, consulta con tu médico.

1. ¿Sientes temblor en los dedos, manos, mentón, labios o piernas cuando te sientas o te relajas?

2. ¿Notas que la escritura es más pequeña que en el pasado o juntas las palabras cuando escribes?

3. ¿Has notado que te mueves mucho en la cama, pateas, das puñetazos o a veces te caes de la cama mientras te encuentras profundamente dormido?

4. ¿Sientes rigidez en tu cuerpo, brazos o piernas? Por ejemplo, si notas que tus brazos no se mueven al caminar, si sientes que tus pies se pegan al piso o si la gente comenta que te ves tieso.

5. ¿Tienes dificultades con la memoria a corto plazo? Como la memoria espacial (recordar lugares e imágenes) o pérdida de memoria para hechos antiguos, no tanto en contenido, si no, para el momento en que sucedió o con quien sucedió.

6. ¿Te han dicho que tu voz es baja o suena ronca cuando hablas?

7. ¿Estás enojado, serio o te sientes deprimido aun cuando no estás de mal humor?

8. ¿Sientes que te mareas cuando te levantas de una silla o de tu cama?

9. ¿Te han dicho que estas encorvando al estar de pie o que tu postura ha cambiado?

10. ¿Tienes dificultad para tragar?

¿Qué puedes hacer si tienes la enfermedad de Parkinson?

Habla con tu médico para desarrollar un plan de cuidado, el cual puede incluir lo siguiente:

Evaluación y atención de un terapista ocupacional, terapista físico y/o terapista de lenguaje si es recomendado por tu médico.

Células madre y la enfermedad de Parkinson

Se ha demostrado que las células madre, una vez activadas y aplicadas, proliferan, migran y se establecen en los órganos afectados, como el tejido nervioso, mejorando el funcionamiento de estos.

Los pacientes tratados con nuestro protocolo, muestran una mejoría psico-emocional, como; el mantenimiento de la memoria, el intelecto y el lenguaje. También mejora el temblor, el equilibrio y la rigidez.

Por lo que, en la actualidad, las células madre ofrecen una buena alternativa para el tratamiento de la enfermedad de Parkinson. Los científicos están cada vez más convencidos, que estas puedan ser trasplantadas con éxito, mejorar el control motor y la coordinación de movimientos en los pacientes.

Testimonio de la enfermedad de Parkinson

Paciente femenina de 50 años, manager de una escuela, casada, madre de tres hijos y con antecedentes de dolores articulares.

Aproximadamente hace dos años, un día cualquiera, cuando se estaba levantando para ir a trabajar, sintió que no podía caminar bien y tenía mareos.

Sus síntomas progresaron y notó que le temblaba la mano izquierda cuando estaba en reposo, también sentía que sus pies se pegaban al piso para caminar.

Su médico la refirió a un neurólogo y después de varios exámenes de laboratorio, exámenes de escalas neurológicas y tomografías de cerebro se le diagnosticó con Enfermedad de Parkinson.

A pesar del tratamiento médico, sus síntomas progresaron y desarrolló problemas para conciliar el sueño. Tenía dificultad para caminar necesitando el uso de un bastón, pérdida del equilibrio, cansancio, poca energía y dificultad para realizar las labores del hogar. Además tuvo que dejar de trabajar. En la escala de progresión de la enfermedad de Parkinson de Hoehn y Yahr, ella se encontraba en un grado 2.

En nuestra consulta, le dijimos que estábamos comprometidos en ayudarle en todo lo que estuviera a nuestro alcance. Le comunicamos que con el procedimiento de sus propias células madre, podría mejorar sus síntomas.

Se le realizó el procedimiento *Stemprocell*, con el protocolo de enfermedades neuro-degenerativas en febrero del 2015. Seis meses más tarde, ella se sentía mejor, tenía más energía y su rostro tenía otra sonrisa. Se evaluó con la escala de progresión de la enfermedad de Parkinson de Hoehn y Yahr, después del procedimiento se encontraba en grado 1. Presentaba menos rigidez, los temblores habían disminuido. Se encontraba con mejor equilibrio, caminaba sin ayuda, también había mejorado notablemente, la habilidad de manejar utensilios en la cocina, la escritura y ejercer sus labores del diario vivir.

Esclerosis Múltiple

La esclerosis múltiple, es una enfermedad autoinmune, en la cual el cuerpo produce anticuerpos que atacan a sus propios tejidos, lo que lleva a un deterioro y en algunos casos a la destrucción de dicho tejido que en esta enfermedad es el sistema nervioso central (SNC). La esclerosis múltiple puede variar entre relativamente benigna, algo incapacitante y hasta devastadora, a medida que se perturba la comunicación entre el cerebro y otras partes del cuerpo.

La gran mayoría de los pacientes se ven ligera-mente afectados, pero en los casos peores de esclerosis múltiple, una persona puede desarrollar incapacidad para escribir, hablar y caminar. Durante un ataque de esclerosis múltiple, se produce inflamación en áreas de la materia blanca del sistema nervioso central, en partes distribuidas al azar, llamadas placas.

A este proceso le sigue la destrucción de la mielina, cubierta de grasa que aísla las fibras de las células nerviosas en el cerebro y la médula espinal. Esta facilita la transmisión y la velocidad de los mensajes electroquímicos entre el cerebro, la médula espinal y el resto del cuerpo. Cuando hay daño en la mielina, esta transmisión se enlentece o queda bloqueada totalmente, lo que conduce a una reducción o pérdida de función nerviosa y muscular.

De acuerdo con la Organización Mundial de la Salud (OMS), en el mundo hay 2.5 millones de personas con EM y en Latinoamérica más de 60,000.

En la actualidad hay aproximadamente de 250,000 a 350,000 personas en los EE. UUU. con esclerosis múltiple diagnosticada. Este estimado indica, que cada semana se diagnostican aproximadamente 200 casos nuevos de esclerosis múltiple en el país.

Aunque los científicos han documentado casos de esclerosis múltiple en niños de corta edad y en adultos ancianos, los síntomas rara vez comienzan antes de los 15 años o después de los 60 años. Las personas de raza blanca, tienen más del doble de probabilidad de contraer la esclerosis múltiple, que las de otras razas y es mucho más frecuente en los países del extremo norte o sur (donde hay poco sol).

El costo de los procedimientos para tratar la esclerosis múltiple, alcanza los 500,000 dólares al año por paciente.

Como consecuencia, los costos económicos, sociales y médicos asociados con la enfermedad son significativos. Se estima que los costos anuales de la esclerosis múltiple, en los Estados Unidos, superan los $ 2.5 millones de dólares.

10 señales de alarma para la esclerosis múltiple

Estos son los 10 síntomas a los que se les debe prestar atención:

1. **Dolor músculo esquelético.** Más del 50% de las personas tienen dolor significativo periódicamente, mientras que el 48% tienen algún tipo de dolor crónico. Los espasmos musculares pueden aumentar la presión sobre los músculos y las articulaciones, creando dolor muy similar a la que sienten las personas con artritis y otras condiciones inflamatorias. La espalda es una zona particularmente común de dolor en la esclerosis múltiple.

2. **Neuritis óptica.** Esta condición del ojo se desarrolla en relación a la inflamación del nervio

óptico. Se cree que es la primera señal de advertencia, en hasta el 20% de las personas que son diagnosticadas con esclerosis múltiple, se presentan con dolor profundo detrás del ojo, destellos de luz, visión borrosa y la percepción de los colores verdes y rojos alterados. Algunas personas pierden la visión de un ojo, después de la neuritis óptica. Sin embargo, cerca del 80% de las personas, experimentan una mejoría en menos de un mes y el 93% de ellos, empiezan a recuperarse después de cinco semanas.

3. **Entumecimiento y hormigueo.** Con frecuencia reportan hormigueo, entumecimiento, picazón o sensaciones de ardor en las manos, los pies, y en algunas partes de la cara o las extremidades.

4. **Pérdida de equilibrio.** Sensación de mareo al levantarse y tienen dificultades para caminar en línea recta. Por ejemplo, algunos pacientes se quejan, de que con frecuencia, tropiezan con el marco de la puerta, cuando tratan de entrar en una habitación. En casos extremos puede que incluso experimenten vértigo (la habitación gira a su alrededor).

5. **Alteraciones de la marcha.** Puede causar debilidad o rigidez en las piernas que altera la forma de caminar, el adormecimiento en los pies, puede llegar a ser tan grave, que es difícil juzgar la ubicación de sus pies (un problema conocido como ataxia sensorial).

6. **Cambios en el funcionamiento de la vejiga**. Los investigadores creen que al menos 8 de cada 10 pacientes, notarán cambios para controlar la función de la vejiga. Los cambios más comunes, son la necesidad de orinar con más frecuencia durante el día y la noche, y la pérdida del control de la orina. Estos síntomas de la vejiga hiperactiva, son causados por daño de los nervios en las áreas del sistema nervioso central que controlan los esfínteres uretrales y vesicales.

7. **Estreñimiento**. El intestino es otro órgano comúnmente afectado, aparece en las primeras etapas de desarrollo de la esclerosis múltiple.

8. **Los déficits cognitivos**. Los pacientes tienen problemas de la memoria, la percepción y la resolución de problemas. Por ejemplo, es posible que se olvide de sus planes muy fácilmente, o puede notar que a veces le resulta difícil encontrar las palabras adecuadas.

9. **Disfunciones**. La excitación sexual se origina en el sistema nervioso central, no es ninguna sorpresa que la función sexual, se vea afectada negativamente. Para las mujeres, los problemas más comunes son la sequedad vaginal y la incapacidad de tener un orgasmo, mientras que los hombres pueden quejarse de trastornos de erección. El deterioro de la libido también es frecuente, lo que resulta, no sólo por el daño a los nervios, sino también por la ansiedad y la baja

autoestima que está asociada con problemas de salud crónicos.

10. **Fatiga**. Debe ser visto como un síntoma muy general, que podría relacionarse con una amplia gama de problemas de salud física y mental. Si alguna persona presenta alguno de estos síntomas, especialmente durante más de un día, es necesario acudir a un neurólogo para ser evaluado e iniciar el tratamiento temprano en la enfermedad.

Células madre en esclerosis múltiple

Las células madre pueden reparar la mielina en las células nerviosas, que es la lesión principal en la esclerosis múltiple. También pueden generar nuevas células nerviosas y posiblemente prevenir que la enfermedad progrese al controlar el sistema inmunitario.

Hemos desarrollado un protocolo específico con células madre, para tratar pacientes con esclerosis múltiple.

Testimonio de esclerosis múltiple

Paciente masculino de 58 años de edad, casado, padre de cuatro hijos, chofer de taxi. Su enfermedad empezó hace más de 2 años, con mareos y pérdida de fuerza.

Nos cuenta: "visitamos nuestro médico primario y nos receto antiinflamatorios, pero mis síntomas continuaron empeorando. Tenía períodos de mejoría y periodos de empeoramiento lo que atribuía a las largas horas de trabajo".

"Después de un año, ya no podía estar más de tres horas de pie, se me entumecían los pies, no me podía concentrar y tenía un cansancio muy severo, por lo que visitamos a un doctor. Este nos refirió a un neurólogo, donde me evaluaron y me ordenaron muchos exámenes y entre ellos una resonancia magnética del cerebro.

El doctor me citó cuando tuvo los resultados y me explicó que en los estudios realizados tenía zonas de desmielinización en el sistema nervioso y por los síntomas que estaba presentando, me diagnóstico con esclerosis múltiple. Luego discutimos sobre la enfermedad en detalle y el pronóstico de la misma.

Recuerdo que mi esposa me tomó de la mano y me dijo "estaré siempre contigo, en las buenas y en las malas" nunca olvidaré sus palabras. El doctor en ese momento, me inicio un tratamiento. Mi vida se volvió cada vez más dificultosa, hasta que al año y medio me incapacitaron laboralmente. Caminaba con la ayuda de mi esposa y el mayor tiempo me la pasaba sentado en una silla de ruedas, mi vida sexual y social desaparecieron.

En mayo del año 2012, vi que en un programa de televisión discutían los resultados de tratamiento con células madre para esclerosis múltiple.

Inmediatamente localizamos al instituto, asistimos a una consulta y nos explicaron las propiedades de las células madre y que ellas podrían enlentecer, detener o incluso revertir la progresión de la enfermedad. El procedimiento se efectuó y a los tres meses, asistí a consulta de seguimiento en la cual presenté una mejoría notable. Caminaba sin ayuda, recuperé la energía y la disfunción eréctil mejoró."

Seis meses después, el paciente nos escribió lo siguiente: *"He mejorado notablemente y las palabras que pueda expresar de agradecimiento al instituto Mother Stem, no serán nunca suficientes para el beneficio que han generado a mi salud, no estoy curado, pero me siento con mejor calidad de vida".*

Fibrosis pulmonar

La fibrosis pulmonar (FP), también llamada enfermedad pulmonar restrictiva, que es producida debido a cicatrices en los pulmones. A medida que el tejido pulmonar cicatriza, interfiere con la capacidad de la persona para respirar. En algunos casos la causa de la fibrosis pulmonar se puede encontrar, pero en la mayoría de los casos no tienen causa conocida. En estos casos se denomina fibrosis pulmonar idiopática (FPI).

La Fibrosis Pulmonar, afecta a cerca de 128.000 personas en los Estados Unidos, con cerca de 48.000 nuevos casos diagnosticados al año. El costo por año es de 4.8 mil millones de dólares y el número de muertes al año es de 40.000.

Consiste en una forma de neumonía crónica no infecciosa y debido a la fibrosis, los pulmones se van dañando de forma progresiva y la función respiratoria se deteriora rápidamente.

La fibrosis pulmonar usualmente es idiopática, es

decir que es una enfermedad autoinmune difusa, que ocurre cuando los tejidos del cuerpo son atacados por su propio sistema inmune. El sistema inmune es una organización compleja dentro del cuerpo, que está diseñada normalmente para "buscar y destruir" a los invasores del cuerpo, incluidos los agentes infecciosos.

Esta enfermedad afecta a los dos pulmones con carácter progresivo crónico, que usualmente causa la muerte entre 2 a 5 años del diagnóstico.

Causas

Hay ciertos pacientes donde se puede encontrar algunas causas como; exposición a gases, humos, polvo de sílice, plumas de aves, ciertos medicamentos como Bleomicina, oro, metrotexato, amioradona y ciertas quimioterapias. También enfermedades autoinmunes como lupus, sarcoidosis, artritis reumatoide y escleroderma pueden producir esta enfermedad.

También se puede ver asociada con infecciones como tuberculosis y en ocasiones la aspiración del ácido gástrico puede ser la causa.

Síntomas

Los síntomas son muy variables al principio de la enfermedad. Puede que el paciente no tenga ningún tipo de molestias o que note sensación de ahogo o falta de aire al realizar cualquier esfuerzo.

Generalmente, el primer síntoma es la **fatiga** al llevar a cabo ejercicios básicos, que no requieren un gran trabajo, por ejemplo, caminar.

A esto suele unirse la **tos** (habitualmente en horas nocturnas), que puede ser seca o con pocas flemas. Otros signos que determinan que se puede padecer esta afección son el **cansancio, la pérdida de peso, los dolores musculares y articulares.**

Prevención

Dado que no se conocen las causas exactas de esta afección, no se disponen de protocolos para prevenir su aparición.

No obstante, se pueden tomar medidas generales para mejorar la condición física y manejar los síntomas que se produzcan, como **dejar de fumar, realizar ejercicio regularmente, evitar sitios con contaminación ambiental y purificar el aire que respiramos.**

Diagnóstico

El diagnóstico se lleva a cabo mediante un examen clínico completo, pruebas de laboratorios, radiografías torácicas, tomografía pruebas de función pulmonar y si es necesario una biopsia de pulmón.

Células madre en la fibrosis pulmonar

Las células madre tienen la capacidad de concentrarse en los sitios de agresión o inflamación. También tienden a diferenciarse en células del órgano afectado y comunicarse con otras células, para regular la inmunidad del paciente con la posibilidad de prevenir que el sistema inmunológico continúe destruyendo el tejido sano (en este caso el pulmón).

Administradas por vía intravenosa, llegan a los pulmones a través del sistema circulatorio. Aplicadas en aerosol llegan al tejido pulmonar por la respiración.

Sus efectos antiproliferativos, antiinflamatorios e inmunomoduladores, sugieren que las células madre podrían tener un potencial terapéutico en la fibrosis pulmonar idiopática (FPI). Esta terapia podría expresarse como una mejoría en la falta de aire, los exámenes radiológicos y las pruebas de función pulmonar.

Testimonio fibrosis pulmonar

Paciente femenina de 81 años de edad, casada, madre de dos hijos, que trabajo más de 20 años, limpiando en una lavandería y limpiando aviones, actualmente jubilada, vive con su hija y esposo.

Con historia familiar de hipertensión, gastritis, hernia hiatal, artritis reumatoide, hipertiroidismo y arritmia cardíaca.

Nos relató lo siguiente: *"Fui diagnosticada hace más de 10 años con fibrosis pulmonar, he visitado las salas de urgencia con frecuencia porque se me intensifica la dificultad respiratoria y por infecciones respiratorias a repetición. Estaba medicada con Prednisona sin mejoría significante.*

Un año antes de comenzar mi tratamiento con células madres, me aumentaron los dolores en los huesos, dolor e inflamación en las articulaciones, respiraba con dificultad, caminaba y dormía con oxígeno.

Una amiga de mi hija nos habló de los tratamientos con células madre y comenzamos a buscar una institución que practicara esa terapia.

Dos días después, mi hija encontró a Mother Stem Institute e hicimos una cita. Nos recibieron muy cordialmente, nos explicaron los beneficios de las células madre y que tenían un protocolo especial para pacientes con fibrosis pulmonar. El tratamiento se aplicaba en aerosol, para potencializar el depósito de las células en los pulmones.

El doctor revisó todo mi historial médico y obtuvo pruebas de función pulmonar, tomografía computarizada de tórax y estudios de laboratorio. Sin pensarlo mucho, decidí rápidamente realizarme el procedimiento, el cual se realizó en mayo del 2016, sin complicaciones. Regresé a mi casa acompañada de mi hija el mismo día.

Acudí a consulta de seguimiento tres semanas después. Me encontraba con mejor ánimo, los dolores y la inflamación de las articulaciones habían desaparecido. El oxígeno lo usaba solamente para caminar. La dificultad respiratoria había disminuido y respiraba mejor. Cinco meses después, deje de usar oxígeno y me siento mucho mejor.

Gracias a Dios y a Mother Stem Institute, hoy soy una persona nueva, sin necesidad de usar oxígeno y siento que mi vida ha rejuvenecido a mis 80 años."

Lupus eritematoso sistémico

El sistema inmunológico normalmente lucha contra infecciones peligrosas y bacterias para mantener el cuerpo sano. Una enfermedad autoinmune, ocurre cuando el sistema inmune ataca al cuerpo, porque lo confunde con algo extraño. Hay muchas enfermedades autoinmunes, incluyendo el *lupus eritematoso sistémico* (LES).

El término lupus se ha utilizado para identificar una serie de enfermedades inmunes, que tienen presentaciones clínicas similares y características de laboratorio, pero el LES es el tipo más común de lupus. Esta es una enfermedad crónica, que puede presentar fases de empeoramiento de los síntomas, que se alternan con períodos de síntomas leves. La mayoría de las personas con LES son capaces de vivir por mucho tiempo, con los tratamientos disponibles hoy en día.

Según la Fundación Americana de Lupus, al menos 1.5 millones de estadounidenses viven con lupus. La fundación cree que el número de personas que realmente tienen la condición, es mucho mayor y que muchos casos no son diagnosticados.

Síntomas

Los síntomas varían de una persona a otra y pueden aparecer y desaparecer. Casi todas las personas con LES, padecen hinchazón y dolor articular que generalmente afecta las articulaciones de los dedos, las manos, las muñecas y las rodillas, también puede afectar los pulmones el corazón y los riñones.

Los síntomas comunes incluyen:

- Dolor torácico al respirar profundamente.

- Fatiga.

- Fiebre sin ninguna otra causa.

- Pérdida del cabello.

- Erupción cutánea. Una erupción en la cara en forma de "mariposa", esta afecta la mitad de las personas con Lupus. La erupción compromete las mejillas y en el puente nasal.

Otros síntomas dependen de qué parte del cuerpo esté afectada

- Problemas de visión.

- Náuseas y vómitos.

- Ritmos cardíacos anormales (arritmias).

- Dificultad para respirar.

- Hinchazón en las piernas.

- Aumento de peso.

Diagnóstico del lupus eritematoso

El lupus eritematoso, es difícil de diagnosticar y se basa en los síntomas, examen físico y pruebas de laboratorio, ocasionalmente una biopsia es necesaria para el diagnóstico definitivo.

Lupus eritematoso y células madre

Las células madre mesenquimales, son capaces de diferenciarse en distintos tipos celulares. Además, presentan propiedades inmunomoduladoras, es decir, que regulan el sistema inmune, mitigando sus funciones anormales, con una clara tendencia a reducir los fenómenos de inflamación.

Nuestro protocolo *Stemprocell*, tiene total ausencia de rechazo por ser del mismo paciente y está asociado, con el uso de técnicas para reducir el número de anticuerpos y polipéptidos (cadena de aminoácidos), que ejercen la función de disminuir la reacción autoinmune. Esto hace que potencialmente puedan utilizarse en el tratamiento de enfermedades autoinmunes.

Las células madre pueden diferenciarse de distintos tejidos, por tanto, puede sustituir las células dañadas en diferentes órganos, pero su mayor efecto en patologías autoinmunes, es en el campo de la inmunomodulación (revertir el proceso autoinmune).

Testimonio de lupus eritematoso sistémico

Paciente femenina de 45 años, diagnosticada con lupus eritematoso sistémico en el 2005 e insuficiencia renal producida por el lupus. Tenía pérdida de fuerza muscular y siempre se quejaba de dolores en todo el cuerpo, su condición general cada día se deterioraba más.

La familia había probado múltiples tratamientos, sin ningún resultado alentador. Su nivel de desesperación y sufrimiento se acrecentaba, a medida que pasaba el tiempo al ver como su enfermedad empeoraba progresivamente.

Su familia investigando, encontraron buenas referencias sobre el tratamiento del lupus con terapia de células madre, que no solo mejoraba la calidad de vida sino por sus resultados satisfactorios.

Durante el mes de septiembre, ellos acudieron a nuestras instalaciones, le recomendamos la aplicación de células madre autólogas derivadas del tejido graso y se le realizó el procedimiento con el protocolo de *Stemprocell* para enfermedades autoinmunes, en el mes de octubre del 2012.

Los resultados fueron sorprendentes, ella está muy satisfecha y agradecida. Seis meses después del procedimiento, había mejorado su calidad de vida, hoy en día ha ganado peso, su semblante es alegre, la función renal mejoró, la fuerza muscular aumentó y mejoraron los dolores articulares de su cuerpo.

Osteoartritis

A veces llamada enfermedad degenerativa de las articulaciones, es la condición crónica más común de las articulaciones, que afecta a aproximadamente 27 millones de estadounidenses.

La osteoartritis (OA), puede afectar cualquier articulación, pero se produce más a menudo en las rodillas, caderas, espalda baja, cuello y pequeñas articulaciones de los dedos.

En las articulaciones normales, un material firme y gomoso llamado cartílago, cubre el extremo de cada hueso. El cartílago proporciona una superficie lisa y deslizante para el movimiento articular y actúa como un cojín entre los huesos.

En la OA, el cartílago se desgasta o rompe, causando dolor, hinchazón y dificultad para mover la articulación. A medida que la OA empeora con el tiempo, los huesos pueden descomponerse y desarrollar crecimientos llamados espolones.

En las articulaciones, se produce un proceso

inflamatorio y se liberan citoquinas (proteínas) y enzimas que dañan aún más el cartílago. En las etapas finales de la OA, el cartílago se desgasta y el hueso se frota contra el hueso, provocando más daño articular y más dolor.

Síntomas

El dolor es el principal síntoma y tiene las siguientes características:

- Se desencadena y aumenta con el movimiento.

- Desaparece o disminuye cuando la articulación está en reposo.

- Es menos intenso por la mañana y aumenta durante el día para alcanzar su intensidad máxima por la noche.

- Generalmente, produce molestia para dormirse, pero no suele ocasionar despertares nocturnos.

- Estos síntomas aparecen cada vez que la articulación afectada se ve sometida a un trauma: caminar en el caso de la Osteoartritis de cadera, subir una escalera, en el de la rodilla o levantar el brazo en la del hombro.

Células madre en osteoartritis

Cuando ocurre una lesión en las articulaciones, las células madre son utilizadas para ayudar a sanar el área lesionada.

Después de la aplicación de células madre, directamente en el sitio de la lesión, el proceso regenerativo comienza inmediatamente y esto lo hace una mejor alternativa, porque no es tan invasiva como la cirugía.

Nuestro protocolo con células madre derivadas de adiposo, tiene beneficios anti-inflamatorios, ellas también son capaces de frenar la degeneración del cartílago y produciendo así, una mejoría significativa. Además, no tiene ninguno de los riesgos ni complicaciones serias, que pueden venir con la cirugía de reemplazo de articulaciones. Tampoco tiene el período de recuperación largo, asociado con la cirugía. Los pacientes son capaces de caminar inmediatamente después del procedimiento y solo se recomienda reposo por dos o tres días.

Mientras que la gran mayoría de los pacientes responden a un tratamiento con células madre, en algunos casos, puede ser necesario administrar dos o tres tratamientos en casos severos.

Testimonio de osteoartritis

Paciente femenina de 59 años, divorciada, sin hijos, que sufre de dolor en las rodillas por los últimos 25 años, el cual progresó lentamente y dos años después, tuvo que dejar de trabajar por el dolor y la dificultad para caminar.

Adicional a esto, sus manos y dedos se deformaron, le dolían y apenas podía cerrar las manos. No podía subir ni bajar escaleras, porque los dolores en la espalda y rodillas eran muy intensos.

En diciembre del 2015, leyó en el internet sobre Mother Stem Institute y solicitó una cita.

"El doctor me evaluó a finales de diciembre del 2015, me explicó que las células madre derivadas de tejido adiposo, tienen beneficios anti-inflamatorios y que ellas también podían ser capaces de frenar la degeneración del cartílago y regenerar los daños en las articulaciones."
- Explicaba la paciente.

"En enero de 2016, me realizaron el procedimiento, me inyectaron las articulaciones, rodillas, espalda baja y los dedos con células madre."

- Continuó diciendo;

"A los 90 días, asistí a consulta de seguimiento, me siento muy feliz, duermo bien y ya empecé a trabajar nuevamente, como supervisora de una fábrica de helados. Puedo subir y bajar escaleras, puedo abrir pomos con mis manos y hasta bailo. Para mí, ha sido excelente el tratamiento. Lo recomiendo."

Rejuvenecimiento facial

En estos últimos años, el uso de células madre ha avanzado a una velocidad vertiginosa, prometiendo obtener rápidamente resultados asombrosos, logrando así, retroceder el reloj del envejecimiento facial.

Células madre y rejuvenecimiento facial

La utilización de células madre, tiene la capacidad de regeneración y reparación de tejidos envejecidos o dañados. Esto ha adquirido gran relevancia en el manejo del rejuvenecimiento facial, debido a que es poco invasivo y los resultados y duración de los beneficios es similar al de la cirugía plástica.

El tejido graso del mismo paciente, es el material ideal para relleno y de ella se obtienen las células madre.

La grasa es obtenida a través de una mini liposucción, para el procedimiento de rejuvenecimiento facial, la cual se lleva a cabo con anestesia local y así mismo, se aplica en la cara como relleno y rejuvenecimiento. Las células madre aseguran la duración de unos 3 a 4 años y mejora la calidad de la piel.

Además, las células madre se esparcen por los tejidos adyacentes y generan nuevas células, tejidos y también colágeno produciendo rejuvenecimiento facial.

Existen varias ventajas del rejuvenecimiento facial con la aplicación de células madre. Tales como: La ausencia de las complicaciones comparadas a un procedimiento quirúrgico. La facilidad relativa del procedimiento. Eliminación del riesgo de reacciones de rechazo. Disminución de los costos comparados con el de la cirugía plástica, y esta última no mejora la calidad de la piel.

Nuestro protocolo *Stemprocell facelift*, es un tratamiento de relleno natural, que consiste en la transferencia de grasa, con plasma rico en plaquetas y células madre derivada del tejido adiposo. Estas aumentan el volumen de los tejidos blandos y luego de ser procesadas, se inyectan con anestesia local en las áreas a tratar, aumentando naturalmente el volumen y además rejuveneciendo la piel.

Testimonio de rejuvenecimiento facial

Paciente de 55 años, ella reconoce que solía pasar casi una hora, todos los días, en un extenso régimen de cuidado de la piel, que consistía en más de 6 productos diferentes con sólo resultados decepcionantes.

Cada producto que utilizó, prometía borrar arrugas y devolver juventud a su piel. Mientras ella seguía todas las instrucciones de uso de los productos de belleza, no veía resultados satisfactorios.

Frustrada y decepcionada, ella opto por inyectarse Botox y a los pocos meses, cuando se miró al espejo seguía igual, con sus arrugas y la piel seguía muy seca y envejecida.

Llego a la conclusión, de que los tratamientos cosméticos no eran la solución que buscaba, estaba decidida a encontrar una solución segura y asequible contra el envejecimiento facial, que proporcionaría resultados satisfactorios.

Leyó por Internet sobre tratamiento de células madre, localizó a Mother Stem Institute y solicitó una cita.

En julio de 2016, se realizó el procedimiento, se rellenaron sus arrugas, líneas de expresión y se le agrego volumen en áreas necesitadas, ese mismo día, regreso a casa con una ligera inflamación y enrojecimiento en las áreas tratadas.

A los 90 días, asistió a consulta de seguimiento, se sentía muy feliz, las líneas de expresión y arrugas habían mejorado notablemente, su piel estaba joven y tersa, ella expresó que había sido un excelente tratamiento y que lo recomendaría a sus amigas.

UNA VEZ MÁS, SE
DEMUESTRA QUE
CADA VEZ ESTAMOS
UN POCO MÁS
CERCA DE FABRICAR
ÓRGANOS CON
CÉLULAS MADRE Y
REPARAR AQUELLOS
QUE ESTÉN
ENFERMOS.

Capítulo 10

Células madre: hacia la formación de órganos

La investigación con células madre avanza hacia la creación de órganos

Científicos japoneses de la escuela de medicina de la Universidad de Yokohama, lograron reproducir en el laboratorio (in vitro), células pluripotentes inducidas (IPS) y crearon un fragmento de **hígado humano,** que al ser trasplantado en ratones funcionó correctamente en el año 2013.

Según los investigadores, esta técnica podrá empezar a ensayarse en humanos, de aquí a diez años. Es probable que pueda aplicarse a los pulmones, riñones o el páncreas. Constituye un avance prometedor como alternativa a los trasplantes actuales, en los que escasean los órganos y que indudablemente generan rechazo en el receptor.

Mientras, investigadores europeos y estadounidenses crearon **micro riñones y micro cerebros** humanos en el laboratorio, que también pueden ser utilizados para probar nuevas terapias, o medicamentos con mayor veracidad, que cuando se experimenta sólo con ratones.

Un equipo de científicos japoneses, ha iniciado ya, el primer ensayo clínico del mundo con humanos usando células madre IPS. Estos consisten en extraer muestras de piel humana, para generar células capaces de convertirse en **tejido de retina,** que después será implantado en pacientes que sufren degeneración macular asociada a la edad.

La medicina regenerativa, también ha dado un gran paso, gracias a las impresoras en 3D. Estas reproducen un objeto capa por capa a partir de información digital y que de momento sirven para desarrollar prótesis sólidas, para sustituir masa ósea perdida a causa de una enfermedad o un accidente.

Primer corazón reconstruido con células madre

La reconstrucción de un corazón con células madre, es un avance importante para la medicina regenerativa, aunque todavía no pueda ser utilizado en la práctica clínica.

"Solo en Estados Unidos, una persona muere cada 34 segundos por enfermedades cardiacas". Así es como empieza el nuevo trabajo de investigación publicado en **Nature Communications**, donde han conseguido reconstruir un corazón con células madre.

De nuevo se demuestra que cada vez estamos un poco más cerca de fabricar órganos con células madre y reparar aquellos que estén enfermos.

Las **células madre**, son una esperanza para la investigación en medicina regenerativa, desde hace tiempo.

En 2012, cuando los investigadores, Shinya Yamanaka y John Gurdon, ganaron el Premio Nobel de medicina, muchos científicos aceptaron esta herramienta terapéutica, como el futuro de la medicina y las células madre.

Un laboratorio de la Universidad de Kioto, Japón, ha recreado por primera vez, el tejido del corazón humano a partir de células madre. El órgano se contrae sin estimuladores externos, con una periodicidad comprendida entre 50 y 70 latidos por minuto.

El biofísico ruso Konstantín Agladze, quien lideró la experimentación de crear un corazón, indicó que dentro de unos tres o cuatro años, será posible también implantar el corazón recreado, a través de células madre del mismo paciente en su pecho, sin causar ningún rechazo.

Las últimas investigaciones no nos están defraudando. **¡Ya estamos viviendo el futuro!**

Creación de una oreja y nariz con células madre

Las células madre de la grasa, permiten fabricar cartílago que puede emplearse en cirugía plástica, para reconstruir órganos, como la oreja o la nariz.

Esto es lo que ha logrado un equipo del Hospital Great Ormond Street y el Instituto de Salud Infantil UCL, en Gran Bretaña, en el año 2014, cuyo trabajo acaba de demostrar, la eficacia de las terapias con células madre del mismo paciente, para la reconstrucción facial.

El artículo publicado en Nanomedicine, muestra cómo las células madre, podrían suponer una alternativa viable a los enfoques actuales de la reconstrucción del cartílago facial.

Los investigadores han fabricado cartílago en el laboratorio, a partir de las propias células derivadas de la grasa del paciente. Los expertos creen que su abordaje es innovador y esperan tratar enfermedades, como malformaciones congénitas de la oreja.

Los tratamientos de la medicina tradicional, se basan en obtener cartílago de los huesos del paciente. Una vez manipulado y esculpido estos huesos por los cirujanos, logran que se parezcan lo máximo a la oreja. Así se fabrica una matriz, esqueleto o armazón que puede implantarse en la cara del paciente.

En el próximo futuro, se extraerán células madre de la grasa del mismo paciente. Además, se fabrica una matriz biodegradable en forma de oreja y se implanta al paciente, para que éstas asuman la forma y la estructura deseada (este proceso se llama recelurización).

Además, se emplean productos químicos para lograr que las células madre se transformen en cartílago.

Los investigadores han descrito que los procesos de recelurización de matrices "in vivo" (dentro del organismo), son largos e inestables. Por eso, se considera la propuesta de hacerlo in vitro y luego implantado para ayudar a mejorar la estabilidad, integración y la funcionalidad de los trasplantes a través de ingeniería de tejidos.

Creación de un riñón con células madre

Un equipo de científicos australianos publicó un artículo, donde programaban un proceso que imitaba el desarrollo normal de un riñón, ellos lograron crear un riñón, del tamaño de un feto de cinco semanas, a partir de células madre.

Además, se ha logrado que las células madre colocadas en un molde, se organizaran por sí mismas, para crear las complejas estructuras existentes en muchos órganos, como el riñón humano. Aunque la producción de riñones para futuros implantes, aún podría tardar varias décadas, estos primeros resultados son prometedores. Han revelado el hecho de que las células madres, pueden organizarse en el laboratorio, para producir tejidos normales y órganos que pueden reemplazar a los dañados.

Otras investigaciones del Centro de Medicina Regenerativa de Barcelona, del Salk Institute de California y del Hospital Clínic de Barcelona, han obtenido estructuras renales tridimensionales en cultivo utilizando células madre humanas.

Ellos sumergieron las células madre en altas concentraciones de moléculas, denominadas factores de crecimiento, para guiarlas en un proceso que imita el desarrollo normal.

Han demostrado que las células, así creadas, son capaces de agregarse en el cultivo, formando estructuras renales tridimensionales y virtualmente indistinguibles a los riñones embrionarios.

Creación de una tráquea con células madre

En Suecia, en el año 2011, un equipo de científicos, ha logrado por vez, primera crear un órgano a partir de células madre. Se trata de una tráquea que ha sido trasplantada exitosamente.

Para fabricar la nueva tráquea, los investigadores suecos, con la ayuda de la University College London (Reino Unido), crearon una matriz de plástico por medio de imágenes en 3D.

En esta estructura artificial, se insertaron las células madre, que después la "rellenaron" hasta convertirla en una vía aérea, capaz de funcionar y de unirse a la tráquea "verdadera".

Recibió el trasplante, en junio del 2011, un hombre de 36 años de edad, en el Hospital Universitario Karolinska. Este paciente tenía un tumor en la tráquea, que se estaba extendiendo y cuya sola extirpación no habría sido suficiente para mantenerlo con vida. El tumor había crecido hasta tener el tamaño de una pelota de golf y había comenzado a constreñir su respiración. La operación, que fue dirigida por el profesor Paolo Macchiarini del Instituto Karolinska, duró 12 horas.

Los médicos eliminaron la parte de la tráquea afectada por el tumor y la sustituyeron por la estructura bioartificial creada a partir de células madre.

El avance ha significado mucho para la historia de la medicina, ya que fue la primera vez que se implantó un órgano con estas características en humanos.

Con esta narrativa, mi querido lector, espero que comprendas mi arduo interés y enfoque profundo, como profesional de la medicina, sobre estos importantes avances de la ciencia, en términos del desarrollo de lo que hoy se está logrando con células madre.

CADA DÍA, ME
LEVANTO CON
EL ENTUSIASMO,
DE CONTINUAR
Y EXPANDIR MI
TRABAJO, DE MEJORAR
Y TRANFORMAR
LAS CONDICIONES
CRÓNICAS DE MIS
PACIENTES.

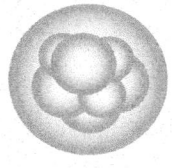

CAPÍTULO 11

MI TRABAJO DIARIO: TRANSFORMANDO Y MEJORANDO VIDAS

Sin duda alguna, el fascinante mundo de las células madre, transformó mi vida. Cada día, me levanto con el entusiasmo, de continuar y expandir mi trabajo, de mejorar y transformar las condiciones crónicas de mis pacientes.

Hoy, con la dicha de tener a mi esposa, la Dra. Nancy Álvarez a mi lado, nos aseguramos que los pacientes se atiendan también holísticamente. Ella es un torbellino de entusiasmo y propulsora de la buena nutrición, mediante la alimentación, el ejercicio y sobre todo, la suplementación con productos naturales, que optimizan la salud y enlentecen el envejecimiento.

Tomamos en cuenta, no solo la manifestación de las condiciones de los pacientes, sino también el porqué de sus condiciones y cómo las han desarrollado en sus vidas. Se les hace un asesoramiento de 360 grados en términos de historia familiar, cómo se alimentan, qué tipo de estrés experimentan, a qué se dedican, etc. En fin, intentamos conocer un poco más allá de su simple dolencia o condición. Creemos que las enfermedades, hay que tratarlas en conjunto, con todas las opciones de ayudar al cuerpo a mejorar. Además de tratarlos con células madre, le proveemos la oportunidad de optimizar su potencialidad, para que se sientan mejor en todos los sentidos, si ellos así lo desean.

Tras mi experiencia en el Hospital Mount Sinai de

Detroit, donde desarrollé mis conocimientos, sobre el impacto que tiene la nutrición y suplementación con vitaminas y minerales, en la pronta recuperación de pacientes con condiciones crónicas, decidimos ofrecer suplementos de alta calidad a nuestros pacientes. Nos mantenemos al tanto de los últimos adelantos de la ciencia, en cuanto a la nutrición, y nos esmeramos en obtener lo mejor en materia prima, trabajando con laboratorios de alto nivel, enfocándonos primordialmente, en la calidad de cada producto.

La mayoría de los suplementos, bajo la marca Dra. Nancy, son vendidos a través del internet, en la página nancyalvarez.com donde se ofrece una variedad de productos, para combatir desde la obesidad, el desbalance hormonal, adrenal y hasta el envejecimiento. Mi esposa, como muchas mujeres, está súper pendiente, en llevar una dieta, baja en carbohidratos y azúcares, lo que le ha llevado a rebajar y mantenerse en buen peso. A insistencias de ella, elaboramos dos suplementos; uno llamado *Cut-Carb,* que bloquea la conversión de carbohidratos en azúcar y por tanto, no se absorben y son descartados por el cuerpo. El otro *Quit-A-Fat,* que atrapa la grasa consumida con los alimentos y la desecha. Ambos se han convertido en best sellers, ayudando a cientos de seguidores de Nancy, a controlar el sobre peso, tal y como lo hace ella misma.

Uno de mis suplementos favoritos, es el *ProTelómero*, un protector de los Telómeros, que son secuencias de nucleoides, cuya función es proteger el final de los cromosomas a través del alargamiento de los telómeros, permitiendo que las células del cuerpo mantengan la capacidad de multiplicarse y evitar la apoptosis (muerte celular), por el norteamericano, Herman J. Muller.

No fue hasta el 2009, en el Departamento de Microbiología Molecular y Biotecnología de la Universidad de Tel Aviv, se determinó que ciertas bebidas como la cerveza pueden ser beneficiosas y otras como la cafeína pueden ser tan perjudiciales como el estrés. Estas revelaciones, al igual que el descubrimiento de la telomerasa, la enzima que se encarga de sintetizar los telómeros, han tenido tanto impacto, que los tres científicos que laboraron en estos estudios, se ganaron el Premio Nobel de Medicina del año 2009, Elizabeth H. Blackburn, Carol W. Greider y Jack W. Szostak.

Entre los estudios realizados, se descubrió que el acortamiento de los telómeros en el cuerpo, son responsables del envejecimiento a nivel molecular y hasta la propensidad de desarrollar células cancerígenas. Como podrás ver, mi querido lector, nuestra labor, conlleva el mantenernos al día, con la innovación y descubrimientos que nos ayuden a vivir una vida más saludable y feliz, evitando el rápido deterioro del cuerpo con la madurez.

Nancy, mediante su página en internet, además de ofrecer una serie de suplementos, para optimizar la salud, también ofrece charlas educacionales sobre el tema de las células madre. Los que visitan ese espacio en internet, también encuentran charlas educacionales, sobre varias situaciones de pareja, temas íntimos que muchas veces, nuestros pacientes y seguidores, prefieren ver en la privacidad de sus hogares.

Nuestro trabajo clínico continúa

A nuestra clínica en Miami, nos llegan muchos pacientes en búsqueda de soluciones con células madre y protocolos de anti-envejecimiento. Pero támbien acuden, pacientes en plena menopausia, con sobre peso, falta de libido, que no logran conciliar el sueño y mucho menos, tener relaciones sexuales normales. Esto es algo que afecta drásticamente sus vidas. Un cuerpo con desbalance hormonal, no puede funcionar bien. Estas pacientes nos inspiraron, a crear un protocolo de remplazo con hormonas bioidénticas, que ahora también ofrecemos a los hombres. Aunque no se hable de eso, el desbalance hormonal, también afecta a los hombres de muchas maneras. La falta de libido, depresión, sobrepeso y poca energía, no se limita a hormonas femeninas, sino también a la falta de testosterona y otras deficiencias hormonales.

En algunos casos, a los hombres, se les puede dar un tratamiento de células madre, para mejorar casos de disfunción eréctil, pero siempre tomamos en cuenta el estado hormonal del individuo antes de ofrecerle un tratamiento integral.

A pesar del inmenso potencial de tratar exitosamente a pacientes, con las enfermedades que ya les expliqué en detalle en este libro, nuestro más arduo interés, es seguir educando y propulsando los beneficios de las células madre, el reemplazo hormonal, por supuesto con hormonas bioidénticas y la pérdida de peso cuando sea necesario. El control de peso, se ha convertido en un tema de gran interés para mí.

En nuestra clínica, he notado la efectividad de la dieta Human Chorionic Gonadotropin, (HGC) por sus siglas en ingles, con la cual hemos asistido a pacientes a perder hasta 30 libras en 40 días. Estoy entregado a la tarea de compartir conocimientos claves, sobre lo que considero, una fórmula esencial para perder y mantener un peso normal.

En mi próximo libro, *"Hay Cura para la Gordura"*, expongo la relevancia que tiene la dieta HCG como terapia hormonal, en ciclos continuados y su efectividad como protocolo viable, cuando se utiliza como una herramienta para terminar con la alimentación inconsciente, que es: el comer sin hambre, por ansiedad o aburrimiento. Exploramos las emociones, trastornos alimenticios y las diversas formas en que podemos saciar los antojos de nuestro paladar. Explico la magia que tiene el simple hecho, de satisfacer los 7 sabores básicos de los humanos. El incluir diariamente en la alimentación, los sabores reconocidos por las papilas gustativas, que son: salado, dulce, agrio, ácido, astringente, picante y sabor umami (el sabor de la grasa), nos puede mantener un nivel de satisfacción impresionante, que evita el querer "picar" para satisfacer la necesidad del paladar.

EL PROCEDIMIENTO
DE CÉLULAS
MADRE NO ES
UN CONCEPTO
NUEVO Y PRONTO
VA A FORMAR
PARTE DE LA
PRÁCTICA MÉDICA
TRADICIONAL.

EPÍLOGO

Células madre ¡futuro prometedor!

Hoy en día, casi todo el mundo ha oído o leído acerca de las terapias con células madre. Sobre todo, cobra gran relevancia cuando leemos acerca de enfermedades crónicas o potencialmente mortales.

Es cierto que, en principio, las células madre son capaces de transformarse, en cualquier tipo de célula de nuestro cuerpo, proporcionando efectos favorables; es como tener una reserva de células, para reparar los daños que ocurren en nuestro cuerpo.

Los científicos están trabajando a todo vapor en eso y hoy, varias clínicas ofrecen aplicaciones para muchas enfermedades, con resultados favorables, lo cual aumenta la esperanza con los tratamientos de células madre.

El uso de células madre en medicina, tiene una historia de más de 35 años, siendo usada hasta hoy en todo el mundo, para el tratamiento de varias enfermedades.

El procedimiento de células madre autólogo (del mismo paciente), ha sido ampliamente validado durante muchos años en todo el mundo y sus resultados han demostrado ser, una innovación maravillosa, al mejorar las limitaciones funcionales y calidad de vida de pacientes.

Así mismo, hay múltiples experiencias en el mundo, publicadas en revistas científicas reconocidas, sobre el uso de células madre para tratar enfermedades crónicas degenerativas del sistema nervioso, enfermedades cardíacas, pulmonares, diabetes, etc.

El procedimiento de células madre no es un concepto nuevo y pronto va a formar parte de la práctica médica tradicional. Cuanto más progresa la medicina, más somos conscientes de lo mucho que todavía se ha de conocer y de investigar para poder comprender lo que nos rodea y, sobre todo, nuestro propio organismo y todo lo que implica, en cuanto a sus partes, tanto las visibles (a simple vista) y las invisibles (captadas solo con microscopio), además, cómo están interrelacionadas. La más mínima variación entre ellas, puede implicar una enfermedad, una lesión, una infección o inclusive la muerte.

Las células madre, pueden dividirse manteniéndose una de ellas igual a la original y la otra diferenciarse, en una célula de tejido u órgano que necesite reparación. La importancia de las células madre, está en que estas pueden ser la base para mejorar o curar muchísimas enfermedades. También son la base para generar en un laboratorio, alternativas muy interesantes para la recuperación de enfermos crónicos y en concreto los que necesitan trasplantes de alguno de sus órganos, para poder seguir viviendo.

La clave está en utilizar las células madre sanas del propio paciente, para generar órganos y así curar enfermedades en pacientes, que hasta ahora necesitan donaciones, sin que su cuerpo las rechace, ya que estaríamos utilizando las células del propio cuerpo del paciente.

Por otro lado, se están haciendo investigaciones cada vez más avanzadas, en las que este tipo de células, se utilizan para poder generar órganos vitales o diferentes partes del cuerpo en el laboratorio y una vez estén terminadas, poder implantarlas al cuerpo del paciente, lo que evitaría todo tipo de rechazo.

Todavía estamos en etapas iniciales de las investigaciones. Lo esencial de esto, es que en un período de tiempo menor del que se esperaba, los resultados son más que positivos y pueden ayudar a que los tratamientos, para muchas enfermedades o trasplantes sean mucho más efectivos y sobre todo se logren curaciones definitivas, algo que hasta ahora se basaba en encontrar un donante relativamente "compatible".

Debido a que, por naturaleza, las células madre tienen la tarea de reemplazar las células viejas, enfermas y muertas, los científicos han concebido la idea de utilizar las células madre, como terapia para una amplia variedad de condiciones médicas. La idea es que, al dar a un paciente enfermo las células madre o células diferenciadas a partir de células madre, podemos hacer uso de la capacidad natural de estas células, para mejorar o curar al paciente. Por ejemplo, si un paciente tiene un ataque al corazón, el objetivo sería trasplantar células madre en el tejido cardíaco, para que reparen el área afectada.

Las poblaciones naturales de células madre que todos poseemos, tienen una capacidad limitada para reparar lesiones en nuestro cuerpo. Volviendo al ejemplo del corazón, las células madre del propio corazón, no son suficientes para reparar todo el daño que se produce después de un ataque al corazón. En cambio, un trasplante de millones de células madre, sería mucho más completo y beneficioso.

Por tanto, el procedimiento de células madre supera la capacidad natural del cuerpo para sanarse, debido al número limitado de células madre propias, pero la cantidad ilimitada de ellas en un tratamiento, garantiza una mejor respuesta.

Aun así, las células madre van a transformar la medicina. Quizás en sólo una o dos décadas, la mayoría de nosotros conoceremos a alguien o tal vez incluso, nosotros mismos, que haya tenido un trasplante de células madre. Podríamos tener posiblemente un implante de órgano, realizado en un laboratorio con nuestras propias células madre, por lo que concluimos, con el que ha sido nuestro lema, que las células madres son:

¡LA MEDICINA DEL FUTURO… HOY!

Dr. Álvaro Skupin

Presidente de la Sociedad Latinoamericana de Células Madre (SOLCEMA) en el Capítulo de República Dominicana y Vicepresidente del Capítulo de SOLCEMA de Estados Unidos.

El Dr. Skupin es un innovador en el desarrollo de protocolos para tratamientos con células madre derivadas del tejido adiposo y en Medicina Regenerativa para restaurar la salud y calidad de vida en pacientes con enfermedades degenerativas.

Educación:
- Graduado en medicina de la Universidad Pontificia Javeriana en Bogotá, Colombia (1975).

Especializaciones:
- Medicina Interna en Oakwood Hospital en Dearborn, Michigan, USA.
- Neumología y Cuidados Intensivos en el Hospital Sinaí, Detroit, Michigan, USA.
- Trastornos del Sueño en la Universidad de Stanford, San Francisco, California, USA.

Experiencia:
- Director de Cuidados Intensivos del Centro de Estudios del Sueño y Jefe del Departamento de investigación Pulmonar del Hospital Sinaí en Detroit, Michigan, USA.
- Profesor Asociado de Wayne State University Detroit,

Michigan, USA.

- Fellowships del American College of Phisycians (Colegio Americano de Médicos), American College of Chest Physicians. (Colegio Americano de Enfermedades del Pecho) y de American Sleep Disorders Association (la Sociedad Americana de Enfermedades del Sueño).

- Fundó y dirigió la clínica más grande de adultos con Fibrosis Quística en Estados Unidos en Sinai Hospital of Detroit.

- Fundador del Diplomado de Medicina Regenerativa en la Universidad Nacional Evangélica Internacional (UNEV) en Santo Domingo.

Reconocimientos:

- Excelencia médica en Medicina Regenerativa (CCME 2016)

- Leading Physician (Médico Líder) en el mundo de células madre y neumología.

- El Dr. Skupin es uno de los pioneros en la investigación y tratamientos con Células Madre en USA. En los últimos 25 años se ha dedicado a practicar la medicina antienvejecimiento. En los últimos 12 años se ha dedicado a la medicina regenerativa con Células Madre. Ha entrenado médicos en terapias de Células Madre bajo los más estrictos estándares de calidad y con la tecnología más avanzada en esta área en toda Latinoamérica y USA, por más de 8 años. Un gran número de profesionales en el área de la salud, a nivel mundial, practican hoy las terapias con células madre, después de haber recibido entrenamiento con el Dr. Skupin.

- Aún mantiene su práctica clínica como especialista en neumología, cuidados intensivos y trastornos del sueño.